新潮文庫

ナチュラリスト

生命を愛でる人

福岡伸一著

新潮社版

11509

はじまり

思えば、ずっと「生命とは何か」を追究してきた。蛹から羽化するアゲハチョウの美しさに見とれたところから始まり、研究したり、本を書いたり、考えたり、そして時に、フェルメールの絵を凝視することもみんなここにつながっていく。「生命とは何か」という問いは、蝶の精妙さに感動した少年の素朴な問いであると同時に、生物学最大の課題でもあり、文化史全体の、あるいはもっと深い哲学的な問いでもある。

そんな風に思います。そして、この問いをずっと心に持ち続けている人のことを指す素敵な言葉があります。「ナチュラリスト」です。小なりとはいえ、私自身もナチュラリストを目指してここまで歩いてきた。そういっていいと思っています。

最近私は中谷芙二子さんの「霧の彫刻」を見ました。芙二子さんは中谷宇吉郎の娘さんです。宇吉郎先生は、雪と氷の研究者で、有名な「雪は天から送られた手紙」との言葉を残した随筆家でもありました。お父上は、液体である水が凍って固体になるプロセスを科学しましたが、芙二子さんは水が気体になるプロセスを芸術に変えました。それは実にユニークなインスタレーションで、世界中で高い評価を受けています。水を微粒子化して噴霧（ふんむ）するノズルを2000個という規模で並べて、霧を変幻自在に発生させるその制作手法は、水が気体・液体・固体という三態を自在に行き来する生き物のような特性をみごとに可視化してくれます。つまり「霧の彫刻」はたった一回の出来事で、たちまち大気の中に消えていきます。しかもそれは一瞬姿を現したあと、その都度、異なる形をとり、最後にはかなく失われます。こんなに動的で、生命的な芸術が他にあるでしょうか。

私には「霧の彫刻」が、細胞分裂のようにも、熟れた果実のようにも、あるいは流れ行く大河のようにも、見えました。

移ろいゆくもの、絶え間なく動く自然の行方をじっと見定めたいというのがナチュラリストの願いです。その意味では、宇吉郎先生も、芙二子さんもナチュラリストであると言えます。

「生命とは何か」を考えることは、生命について追いかけた人の軌跡をたどる旅でもあります。この本ではまず私の敬愛してやまないジョン・ドリトル先生のことを取り上げたいと思っています。みなさんはドリトル先生をご存知でしょうか。ドリトル先生は、ヒュー・ロフティングという童話作家が創作した物語の中の主人公で、皆にナチュラリストと呼ばれています。そして、私にとってほんとうに理想的な意味でナチュラリストなのです。なぜそうなのか。それはこれから縷々、お話していきます。

ところで、ドリトル先生の物語シリーズの名訳者、井伏鱒二は「ナチュラリスト」を「博物学者」と訳しました。ちょっと古風な言い回しですね。

博物学とはもともと、自然史学、自然誌学、とも称され、動物、植物、菌類、鉱物、その他あらゆる自然物の種類・性質・分布などを調査し、分類して記載する学問のことを指します。つまり、この世界の多様性と精妙さを、逐一、網羅的に記述しつくしたい、コンプリートしたい、というマップラバー（地図好き）的追求心です。私も虫を集め、化石を集め、コインや切手も集めましたから、このマップラバー的気持ちはよくわかります。

一方、ドリトル先生には、あまりコレクター的なマップラバー傾向はありません。どちらかといえば、現世のよしなしごとやお金には頓着せず、いつもひょうひょうとして自由で、優しく、公平で、そしてちょっと脱力系です。女っ気も全くありません。ドリトル先生は、標本を蒐集したり、細胞を分析するのではなく、もっといきいきとした生命のあり方を探求したいと願っています。そのため世界中を旅して回ります。世界だけでは飽き足らず、最後は月旅行にまで出かけていきます。

こんなドリトル先生に私は少年の頃からすっかり魅了されてしまいました。「ナチュラリスト」のことを、シンプルに「自然を愛する人」と解してもいいでしょう。ナチュラリストは世界中にいます。日本にもたくさんいます。ナチュラリストたちは、いつも生き生きと動き回っており、どこかひたむきで、それでいて美しい。私の目にはそう映ります。

私はそんなナチュラリストをたくさん知っています。それは身近な知人であることもありますが、本でしか触れ合ったことのない遠い昔の人ということもあります。「生命とは何か」について考える旅路で、私が得たものをみなさんに伝えておこう、ナチュラリストたちのきらきらしたひたむきさと好奇心を知ってもらいたい。そんな思いで、この本をまとめることにしました。

ナチュラリストであることは喜びです。世界の美しさと精妙さに気づくことは、心を豊かにしてくれます。そして何かを学ぶことは自分を自由にしてくれます。

さあ、おはなしの、はじまりはじまり。

ナチュラリスト　生命を愛でる人＊目次

本書は、『考える人』（２０１０年秋号「福岡伸一と歩くドリトル先生のイギリス」特集）での原稿に、国内での新たな取材を踏まえて大幅に加筆したものです。また、阿川佐和子さんと筆者の往復書簡は『考える人』（２０１４年春号「海外児童文学ふたたび」特集）より、収録いたしました。

協力　大英自然史博物館&ダーウィン・センター
　大英自然史博物館トリング分館
　国立科学博物館
　学校法人城西大学　水田記念博物館　大石化石ギャラリー
　岩波書店　児童書編集部

他、多くの方々、機関にご協力をいただきました。感謝申し上げます。

写真　菅野健児（新潮社写真部）

挿絵　*The Voyages of Doctor Dolittle* by Hugh John Lofting

ナチュラリスト　生命を愛でる人

第1講　「系統発生」の時間軸

ドリトル先生を訪ねて歩く

さてさて、「ドリトル先生」——この名前を聞くだけで懐かしさがこみ上げる、そんな方もいるでしょう。これから読む方は人生の楽しみがまだまだあると喜んでください。

1920年から刊行が始まった、イギリス人（後にアメリカに永住）のヒュー・ロフティング（1886〜1947）による物語シリーズの主人公です。

物語の原型は、第一次世界大戦に従軍したロフティングが、自分の幼い子どもたちに宛てた手紙の中のお話です。それを知ったある作家が「ぜひ小説として出版してはどうか」と勧めたことがきっかけで、第一作『ドリトル先生アフリカゆき』は誕生します。主人公ドリトル先生は、動物と会話のできる医者という設定です。ロフティング自身の親しみやすい挿画も加えられ、この作品は大人気となりました。次に書かれた『ドリトル先生航海記』(以下、初出以外はタイトルから「ドリトル先生〜」を省略)では、その後の語り手となるスタビンズ少年が登場して、シリーズの基調が定まります。鉄道技師だったロフティングは、思いがけない成功を経て職業作家となり、次々と作品を書いていきます。

日本では、児童文学者の石井桃子さんが編集者として出版することを決め、親しくしていた作家の井伏鱒二氏に翻訳を依頼します。この石井・井伏コンビが世に送り出したことも、日本語版の魅力を高めました。現在も手軽なソフトカバー(岩波少年文庫)と函入(はこいり)の上製本(ハードカバー)の両方で読むことができます。上製本のシリーズには、美しいカラー口絵が入っています。岩波少年文庫版全12巻(13冊)と函入上製本を合わせた累計(るいけい)部数は、実に531万部だというから、とんでもないロングセラーです。全12巻のうち、『ドリトル先生と緑のカナリア』『ドリトル先生の楽しい家』の2冊は、著者の義妹が遺稿をまとめたものです。

それ以外にも「ドリトル先生」シリーズはさまざまなかたちで刊行されています。石井桃子さんが友人と興した出版社「白林少年館」から1941年に最初に刊行され、話題を呼びました。その後フタバ書院成光館から刊行され始めたものの、訳者の井伏鱒二本人も戦争に徴用され、なかなか翻訳を進められなかったとか。それでも『少年倶楽部（クラブ）』に連載、戦後に訳し直すなどして徐々に翻訳は進み、１９５１年にはついに岩波少年文庫の『アフリカゆき』が刊行されたのです。

その後、子どもが読むためにと、図書館などから丈夫なハードカバーを求める声があり、50年代後半〜60年代前半に菊判の総クロース、特殊ビニール加工のものが出版されます。その後、少年文庫版は、オイルショックがあったので70年代にはカバーなしの軽装版になり、80年代にはまたフルカバーとなり、２０００年にはリニューアルして現在流通している幅広のソフトカバー版となっています。番外篇も出ていて、『ガブガブの本』（南條竹則（なんじょうたけのり）訳）は異色の「食べ物語」となり、後に日本では国書刊行会から発売されています。形や版元を変えつつも、長く刊行されてきたロングセラー、ベストセラーなのです。

なぜいま、ドリトル先生なのか

ドリトル先生は、動物語を話す、ゆかいで優しい太っちょの英国紳士。「博物学者＝ナチュラリスト」を名乗っています。イギリスから飛び出して、さまざまに海外へと冒険していきます。

とはいえ、物語は、200年も前のヴィクトリア朝時代のイギリスを舞台にしています。そして、物語に登場する場所の多くは実在しません。『ドリトル先生の郵便局』では鳥たちの力を借りてアフリカで郵便制度を整え、『ドリトル先生のサーカス』では自主的に演技する動物サーカス団の団長を務め、『ドリトル先生の動物園』ではいつものことながら採算度外視で動物たちの楽園を創り出す。『ドリトル先生のキャラバン』では動物たちによる「カナリア・オペラ」を上演します。『ドリトル先生と月からの使い』『ドリトル先生月へゆく』『ドリトル先生月から帰る』の「月シリーズ」では、なんと巨大な蛾に運ばれて月を探査する。というわけで、お話はもはや地球上にとどまらないのでした。

そして、『月から帰る』から15年の時間を経て、『ドリトル先生と秘密の湖』が書かれました。著者はこれを書きあげてまもなく、この世を去りました。

21世紀の今日、私たちは、生命と自然をめぐるきわめてアクチュアルな問題に次々と直面しています。生物多様性の保全。気候変動。生命操作。遺伝子組み換え。あるいは、もっと身近なことでいえば、クジラを食べることはいけないことなのでしょうか。イルカの漁は許し難いことなのでしょうか。

私たちはときにシリアスになりすぎ、ときに思考が硬直してしまいがちです。こんなとき私は、ふとこのドリトル先生のことを思い出します。シルクハットをかぶり、小柄で太っちょ。お金や世間にむとんちゃくで、ちょっと脱力系ですが、いつも軽やか。何ごとにも動じず、穏やかで、温かく、いきもののことが大好きな人。多くの人が、一度は心躍らせて読む物語の主人公です。少し、物語に入っていきましょう。

フェアネスというもの

ドリトル先生とトミー・スタビンズ少年が初めて出会った大雨の日、二人は街角でぶつかって転んでしまいました。そのとき先生はこう言います。

いや、きみも不注意だったが、わたしも不注意だった。（『航海記』。ヒュー・ロフティング著、新潮文庫、福岡伸一訳より。以下、特記のない場合はすべて同）

ここに現れているドリトル先生の好ましさの本質はなんでしょうか。ドリトル先生は動物と会話ができるすばらしい人です。それはとても楽しく豊かな物語を紡（つむ）ぎ出します。だからみんなすぐにドリトル先生が大好きになってしまいます。でもドリトル先生の好ましさの本質はそれ以前にあります。それがスタビンズ君へのこの言葉にはっきり現れています。ひとことでいえば、それは「フェアネス」です。

ドリトル先生は、すべてのことに公平な人でした。最初の最初からフェアであり、フェアでありつづけた人でした。この「公平さ」こそが博物学の基本かもしれません。つまり、他の生物を人間の視点から有用、無用というふうにわけへだてしません。生きとし生けるものを平等に扱うのです。

また、たとえば、ドリトル先生は、スタビンズ少年と会ったとき、「坊や（lad）」でもなく、「トミー」でもなく、「スタビンズ君」と呼びかけます（原書では、Mr. Stubbins）。スタビンズ君はそれをとてもうれしく感じます。ドリトル先生のフェアネスです。

そもそも、ドリトル先生は、あらゆる生命のありように耳を傾け、そこから物語を聞き取ろうと一生懸命になっている人です。そのため、もともとはお医者さんでしたが、それもやめてしまいました。そして航海や探検にあけくれ始めるのです。ドリトル先生は、自分はナチュラリスト（naturalist）である、ともいっています。日本語訳では一般に、ナチュラリストを「博物学者」としますが、私はもう少し広く考えたいと思っています。標本や剝製を蒐集・分類して博物館に陳列するような博物学者ではなく、ドリトル先生は、生きていることそのものを探究する、ほんとうの意味の生物学者なのです。

ドリトル先生のフェアネスは、すべての生き物に対して平等に向けられます。ドリトル先生は、アヒルのダブダブを信頼し、ブタのガブガブを可愛がり（どちらも家事を手伝い、ドリトル先生のために働きます）、家族として一緒に楽しく暮らしています。それでいてドリトル先生の好物は、スペアリブであり、ミートパイであり、ソーセージなのです。ここには偽善がありません。ドリトル先生のフェアネスはそういうものです。

ドリトル先生は、あるとき獰猛な猟犬からキツネの親子を救ってやります。食い下がる猟犬に、ドリトル先生は言い放ちます。

キツネは、じぶんでたべものをさがさなくてはならないのだ。おまえたちは、たべものをもらっているからけっこうだろうがね。出て行ってくれ。――早くゆけ。
（『サーカス』岩波少年文庫、井伏鱒二訳より。以下、『航海記』以外は井伏の訳）

ドリトル先生のフェアネスはこのような側面もあります。生物が生物であることとはどういうことなのかを知っているのです。

今、私たちが抱える、生命と自然をめぐるやっかいな問題をもし、ドリトル先生に問うたら、先生はいったいなんと答えてくれるでしょうか。ドリトル先生は、しばらく考えたあと、持ち前のひょうきんさと穏やかさで、きっと次のように言ってくれるにちがいありません。

それでは、わしによい考えがある。(『サーカス』)

「系統発生」の時間軸のお話

ドリトル先生の物語の舞台は、先ほども書きましたが、19世紀前半です。このあと、世界は一気に近代化されていきます。産業革命が展開し、工業化が進みます。強い国が弱い国を植民地化していきます。すべてのことがメカニズムとして捉(とら)えられ、操作の対象となり、規格化、商品化されていく。それと軌を一にして、私たちの思考も、急速に分節化され、制度化されていきます。ですから、ドリトル先生の物語なんて、まだいろんなことがのんびり、のどかだった時代の絵空事さ、と片付けてしまうことはいとも簡単です。

しかし今、だからこそちょっとだけ立ち止まって考えてみましょう。それならなぜ、ドリトル先生の物語はあれほどまで強く、私たち少年少女の心を捉え得たのでしょうか。どうしてドリトル先生の物語を思い出すことは、これほどまでに私たちに懐かしさを感じさせるのでしょうか。少し読むだけでそうなるのです。

突然ですが、ここには、系統発生と個体発生の相似形があるように思えるのです。難しい言葉が出てきたので驚かれるかもしれません。系統発生と個体発生とは、19世紀の生物学者ヘッケルの有名なテーゼ「個体発生は系統発生を繰り返す」という言葉のことをさしています。長い進化の過程で、生物はミミズのような筒状のからだから、背骨をもち頭をささえることができるようになった魚、そこに手足がはえた両生類、それが陸に上がってできた爬虫類(はちゅうるい)、そして温かい体温を持つ鳥類、ついには胎内で子どもを守り、その後、母乳で育てる哺乳類(ほにゅうるい)という長い道筋をたどって発展してきました。これが「系統発生」です。

では、その結果として今日ある私たちヒトの発生の様子を見てみましょう。それは小さな分裂を開始した受精卵は、多細胞の塊となり、やがて中空の管を形成します。それは小さなミミズのようなものです。そこに前後の軸が通り、細胞が変化して背骨と神経管が作られます。この時期の初期胚（はい）はまるで魚のように見えます。やがて胚に短い手足と尾ができる頃、それはカエルのようになり、ついでトカゲのように見え、それからヒヨコのような形をとるようになって、尾が消え、ついにはヒトの胎児が形を現してきます。これが「個体発生」です。個体発生のプロセスを見てみると、そこに進化の道筋、つまり系統発生のプロセスがそのまま折りたたまれている。ヘッケルは自分の観察をそう言い表したのです。

ヘッケルのテーゼは、今日では必ずしも細部まで正しいとは言えませんが、個体発生の過程、すなわち私たちヒトの形態形成の過程に、ここに至った生命の進化の時間すべてが内包されているという観察は、実に慧眼（けいがん）でありました。

旅の予感

それなら、と私は考えます。

同じことを私自身のなりたちについても考えてみたいと思うのです。

近代化が、生命と自然を分断し、分類し、メカニズムとして理解し、その上でそれを操作の対象としてきたように、私たち個人も成長するにつれ、あるいは順次教育を受けるにしたがい、自分の思考を自ら分節化し、制度化し、社会化し、あるときには最初にあったものを消し去り、あるいは抑圧さえしているのではないでしょうか。

最初にあったもの。それはいったいなんでしょうか。それはおそらく美しさに打たれること、精妙さに驚くこと、フォルムの奇抜さに引き込まれること、動きのしなやかさに魅せられること、ぬくもりにほっとすること、あるいは風の匂いや光の粒だちをはっきりと感じること。そういう一連のことごとです。

自分が初めて自然の細部に触れたときのよろこび、それに対するフェアネスの気持ち、あるいは謙虚さのことです。それはひとことでいえば、「センス・オブ・ワンダー（the sense of wonder）」、ということができるでしょう。

はっとすること。

気づきのよろこび。

すべてのことはそこから始まります。私たちとともに、最初にあったものは、まぎれもなくセンス・オブ・ワンダーであったのです。

しかし、海洋生物学者レイチェル・カーソンが著書『センス・オブ・ワンダー』（上遠恵子訳、新潮社）でいうとおり、まもなく私たちにひとしく訪れる倦怠と幻滅、つまらない人工的なものに夢中になること、そのような日常のよしなしごとにまぎれて、最初にあったものは、鈍り、遠ざけられ、あるいは自ら進んで忘れさられていってしまいます。

大人になる、とは本来そういうことなのでしょう。しかし、大人になってもかつてのセンス・オブ・ワンダーは完全に損なわれてしまうわけではないと思います。自然の精妙さの前で気づいたフェアネスのありかや謙虚さ、あるいはそのかそけき残滓のようなものは私のどこかにずっと残り続けているように思えます。ほんの些細な手がかりがあれば、全く同じではないにしろ、それを想い出すことができるように感じるのです。

ドリトル先生の物語が持つほんとうの意義も、ここにあるのではないでしょうか。ドリトル先生の物語は、シリアスな問題に直面して硬直する現代社会への解毒剤である――もちろん、そういう意義づけも可能だと思います。でも、それではあまりにも総花的な言い方に聞こえます。ドリトル先生の眼差しは、社会風刺や大人たちへの批判というよりも、大人になるうちに忘れがちな純粋な少年の心にむけられていると思います。私にとってドリトル先生は個人的なものです。私はここに外的世界の（それは近代化による世界の、といってもいいでしょう）系統発生と、私という人間の個人的な個体発生（それはむろん細胞レベルのことではなく、認識の、という意味です）とのあいだにある相似形を見てみたいと思うのです。

ドリトル先生に出会ったあとスタビンズ少年はきっぱりとこういいます。

「もちろんだよ」と私は言いました。「もう決めたんだ。どうしても博物学者になるって」（『航海記』）

そしてスタビンズ君は、ドリトル先生に弟子入りすることになります。虫や生き物に夢中になっていたかつての私も、スタビンズ君とまったく同じように思ったものでした。「何よりもナチュラリストになりたい」と。その後、長い長い年月がたちました。今、私はいったい何になって、何をやっているというのでしょうか。ドリトル先生の物語を思い出すことは、とても大切なことを私自身に想い起こさせることになる。そんな予感がして私は旅に出ることにしました。

その瞬間、私はこの世で一番幸せな子どもになりました。頭を雲に突っこんで、空を歩いているような気分でした。部屋じゅうを踊りまわりたくなるのを、必死でこらえました。とうとう、一生の夢がかなったのです！（……）考えただけでもわくわくしました。大海原を渡って、異国の地を踏みしめ、世界じゅうを旅するなんて！（『航海記』）

次の章では、ドリトル先生に「出会う」ために、子どもの頃からの夢を実現すべく、念入りに計画を立てて出かけた旅の道中に書いたことをそのままお伝えしましょう。ドリトル先生が、いくつもの場所に自ら乗り込んでいく旅の時間を教えてくれたように、この本でもその試みをしてみようと思うのです。

『航海記』の冒頭に、港を行き来する船をスタビンズ少年が足をぶらぶらさせながら眺める場面があります。少年は、船に乗って自分の夢を探したいと熱い思いを馳せるのです。これがどこかわからなかったのですが、ヒュー・ロフティングが描いたのと同じ景色の場所を見つけました。

それではここから先、私のナチュラリストとしての旅路を私小説風に語ってみたいと思います。

第2講　「個体発生」を追って

私が少年だったころ

　鈍い蛍光灯に照らされた殺風景な天井の一隅にあるスピーカーから静かにピアノの曲が流れ出した。私は読んでいた本から顔を上げた。

　シューマン「子供の情景」。

　書架と書架の間を透かして壁を見ると時計の針は五時十分前を指していた。まもなく図書館は閉館の時間となります。お借り出しの方はカウンターまでお越しください。聴きなれたアナウンスがいつものようにそう告げた。棚に手をかけて立ち上がると、不自然な姿勢のままずっとしゃがんでいたせいで足がしびれていた。カウンター横の狭い通路を抜けて書庫からでた。

　書庫には窓が無かったので気がつかなかったが、もう外は日が暮れかけていた。小学校高学年の頃のことだ。

あまり友だちがいなかった私はいつも学校が終わるとこの公立図書館に立ち寄って本を読んだり、書庫を探検したりしていた。

貸し出しカウンターと開架書棚のある広い部屋のあいだに、他のスペースとは隔離された小さな部屋があった。参考図書室というようなプレートがかかっていた。いつも人気がなかった。ふだんの私はその中に入ることもなかった。そこにあるのはおおよそ分厚い辞書や事典だったり、大判の美術書の類であったから。どの本にも背表紙に「禁帯出」の赤いシールが貼りつけてあった。それが何となく偉そうでいやだった。

なのにその日は、どういうわけか、ふらりと中にはいってみた。そしてぐるりを見まわしてみた。外から見えていたとおり、大きくて、重くて、豪華な本ばかりがずらりと並べられていた。ふとある本棚を見ると、そんな本と本のあいだに、この部屋の本にしては小ぶりな書籍が挟まっていた。指をかけると、背表紙には英文字が記されていた。何の本だろう。棚から抜き出して、開いてみた。私は息をのんだ。

ページをめくるごとに、そこには目もくらむような色鮮やかな外国産の蝶の図版が並んでいた。トリバネアゲハ、モルフォチョウ、ミイロタテハ。原色・原寸大の写真のページには、いちいち薄いハトロン紙のページがかぶせられている。たちまち私は吸い込まれてしまった。一切、周りの景色が目に入らなくなった。

これほどまで完璧に、網羅的に、世界の蝶について逐一記載した図鑑が日本にあったとは。もっとも私が知りたかった秘密が、もっとも私の身近なところに隠されていたのだ。

その名もずばり『原色図鑑　世界の蝶』という書籍だった。中原和郎・黒沢（澤）良彦著。北隆館。6000円。1964（昭和39）年版。

係員に、閉館です、と傍でささやかれて、初めて私は我にかえった。

その日以来、私は図書館に行くと必ずこの本のもとへ直行した。そして居住まいを正して、丁寧にページをめくった。息をひそめて、豪華な、美麗すぎる蝶たちを眺めた。眺めても眺めても見飽きることがなかった。背表紙の禁帯出シールが恨めしかった。この本は、私にとってだけでなく、図書館にとっても、特別な本と分類されていたのだ。おそらく図書館はその価格だけからそうしていたのだろうけれど。しかし、逆に、この本が誰か他の人に借りられてしまわないことは幸いでもあった。私はなんとしてでもこの本を自分でも購入したいと思った。が、それは叶わなかった。当時の私にとってはあまりにも高額の本だったし、調べるとすでに絶版になっていたのだった。

世界に君臨する蝶

この『世界の蝶』の第一ページに君臨していたのが、アレクサンドラトリバネアゲハだった。はらりとハトロン紙をめくると、大きな翅（はね）が、青と緑と黒に輝いていた。その青は澄み切っている。緑は透明なのに深い。どんなデザイナーも思いつかないほど流麗（りゅうれい）な曲線。濃い茶色のビロード文様がアクセントのように左右対称にひと筆ずつ入っている。

メスの文様はオスよりもずっとシックだ。茶色を主体として白い小紋が散っている。胴体は鮮やかな黄色。長く伸びた触角。そして驚くべきことは、メスの大きさだ。翅を一杯に開くと30センチはあるだろう。アゲハチョウのクイーン。世界最大の蝶。

トリバネアゲハの仲間はいずれも華美すぎる意匠を身にまとっていたが、このアレクサンドラトリバネアゲハがまとう超然たる美しさと高貴さにまさるものはいない。第一ページに配されて当然の蝶なのだった。

私は、蝶の名前に日を落とした。「アレクサンドラトリバネアゲハ」とは一般名称であり、きちんとした学名がある。

Troides (Aetheoptera) alexandrae Rothschild

学名は、ラテン語で書かれ、属名と種名からなっている。ここでは属名が Troides（Aetheoptera）。ptera とは鳥の翼のようなという意味で、トリバネアゲハ属ということ。種名 alexandrae は、イギリス女王に捧(ささ)げられた名称。なんといってもアゲハチョウのクイーンなのだから。和名アレクサンドラトリバネアゲハも、この種名をもとにつけられている。

そして最後に記された名前 Rothschild。これはこの蝶を世界で初めて発見した人物にだけ与えられる栄誉である。より正確にいえば、その種を新種として、世界で初めて博物学的に記載した人物に対して。

私は昆虫少年だった頃、いつも新種の蝶を発見したいと熱望していた。どんな図鑑にも載っていない大きくて優雅で輝くような蝶。一方で、それが決して果たされることのない夢だということもよくわかっていた。それほどまでの美しさが未発見のまま残されているなどということはほとんどありえないことなのだ。

それはこの『世界の蝶』を見ればわかる。美麗で大型の種は、すでにすっかりとりつくされている。

それにしてもどうだろう。アレクサンドラトリバネアゲハだけではない。ビクトリアトリバネアゲハも、リキメネスマエモンジャコウも、ラカンドネスオナガタイマイも、みんなRothschildの名前が記されているではないか。世界の美しさをひとりじめしたこのロスチャイルドという人物は一体、誰なのだろう。私は驚き、そしてひそかに嫉妬した。

『世界の蝶』には、次のように記されていた。

「雌は著しく大きく、世界最大の蝶で、前翅長135㎜に達するものがある。老熟幼虫は120㎜にもなり、黒色、深紅色の突起があり、クリーム色の帯がある。英領ニューギニア東北部の余り高くない地方に産し、密林の梢高く飛ぶ。最初の記載に用いられた標本は、鉄砲で射落した雌であるという。種名はイギリスのアレクサンドラ女王を記念してつけられたものである」（前翅長とは、片側の翅の長さのこと）

鉄砲で射落した？　そう、この蝶は鳥と間違えられて撃ち落とされた。その後、私は、これが蝶の世界では半ば伝説化されるほど有名な逸話であり、撃ち落としたのは、アルバート・S・ミークなる人物だということを知った。ミークは、雇われて世界中に遣わされていたプロ採集家のひとりだった。雇ったのは、ウォルター・ロスチャイルド。アレクサンドラトリバネアゲハの命名者である。

世界の記述がはじまる

見つける。名づける。見つめる。このようにして世界の記述は始められる。『世界の蝶』に感激した頃から、私はそのことに気づいていた。もちろんまだきちんとした言葉にはできなかったけれど。

ロンドンの自然史博物館の横に２００９年、総工費７８００万ポンド（約１１９億円）をかけて新設されたダーウィン・センター。巨大な白く丸い繭（まゆ）のかたちをした展示ドームがガラス張りの建物でおおわれている。２０００万もの昆虫や植物の標本が収蔵されている。明るい陽光が差し込んでいる。デンマークのC・F・モラーの設計。

アポイントメントを入れておいた鱗翅目（りんしもく）担当の研究員ジェフ・マーティンが、ロビーでにこやかに出迎えてくれた。私は館内地図のパンフレットの表紙を黙って指さした。これ。彼はにやりと笑った。そこには羽ばたくアレクサンドラトリバネアゲハの絵が入れてあったのだ。やはりこの蝶はダーウィン・センターのアイコンにふさわしい蝶なのだ。彼はカードキーを使って、重い扉を開くと、中に私を招き入れてくれた。驚いたことに、世界でもっとも膨大でかつ貴重な標本収蔵庫は、一般展示スペースとたった扉一枚隔てただけの内側に広がっている。ドアの細いガラススリットから、外を行き交う人々が見える。彼らはこちら側の異界を知らない。

中はしんとしている。そしてひんやりとしていた。温度と湿度が厳密にコントロールされているのだ。金属製のキャビネットがずらりと、そして延々と並んでいた。私たちはだまって何列かをとおりすぎ、あるところでたちどまった。マーティンは鍵束でひとつのキャビネットの扉を開いた。上から下まで規格のそろった木製の標本箱がつまっていた。取っ手を持って、ひとつの箱がゆっくり引き出された。

私の目は標本箱に並べられた蝶のあいだをさまよい、すぐ中のひとつに釘付けにされた。茶色の大きな翅。白い優美な文様。上の翅には穴があいていた。散弾が貫通した跡。まぎれもなく、これこそが世界の実在性を示したあの標本なのだ。

アレクサンドラトリバネアゲハの完模式標本。アレクサンドラトリバネアゲハがアレクサンドラトリバネアゲハとなるべく見つけられ、アレクサンドラトリバネアゲハがアレクサンドラトリバネアゲハと名づけられ、そしてアレクサンドラトリバネアゲハがアレクサンドラトリバネアゲハとして見つめられるようになったことを示す最初の始点。それがこの標本なのだ。これ以前に、アレクサンドラトリバネアゲハは存在しておらず、これ以降、すべてのアレクサンドラトリバネアゲハは一斉にアレクサンドラトリバネアゲハとなった。

私は息を殺していた。ここには人間のあらゆる想像力をはるかに超えた美しさと完璧なフォルムがある。それが今、実物として眼前に存在しているのだ。その瞬間、私は、確かにこの世界全体が実在していると感じることができた。

こういうことだ。もしこれが単なる私の夢だとしたら、もしこれが私の脳が作り出した幻だとしたら？

それは違う。そう確信できる。なぜなら私の夢や私の脳は、美しさを、色を、形を、ここまで意外な方法で、ここまで具体的に創りだすことは絶対できないから。この蝶は、私とは無関係に、しかし確かにここにある。

ルネ・デカルトはかって、「われ思う、ゆえにわれあり（コギト・エルゴ・スム）」と言ったという。すべてのことは不確実なものとして懐疑しうるけれど、思うという自分の存在だけは懐疑しようがない。

たぶんそうではない。実は、もっとシンプルなことだ。蝶を愛するものはそのことがわかっている。コギト・エルゴ・スムではなく、このような蝶が唐突に目の前にあることを知るとき、そのまま存在の確実さを信じることができる。美しさに不意打ちされるから、はじめて我があると信じることができる。センティオ・エルゴ・スム。センティオ、すなわち感じること。

Type of species shot.
The only specimen col-
lected on that expedition
alexandrae
Roths.
Type

意外に聞こえるかもしれないが、生物学者は、新種を見つけだすことを「新種を発見する」とは普通、言わない。新種を「書く」と言う。新種を見つけることは、新種を書くこと。見つけ、名づけ、見つめること。それが、まさに世界を記述することなのである。

あらゆる生物について、どこかの博物館、いずこかの研究室の暗い箱のなかに、必ずたったひとつの「完模式標本」が安置されている。最初にその存在が「書かれた」、その根拠を示す実体としての標本。それを始点として、名づけるという行為が、つまり言葉が世界と結びつけられる。このようにして世界はひとつひとつ記述されていき、今もなお記述されつづけている。

それは狂気に似たある種の固執である。憑依（ひょうい）といってもよい。すべてを記述しつくしたいというオブセッション。そして世界は記述しきれないけれど、記述しつづけることをやめることはもうできない。それが博物学という名のオブセッションの正体である。オブセッションは限りなく深く、終わりのない完全主義を目指す。それはほんとうの狂気かもしれない。なぜなら見つけたものを、見つめ続けるためには、見つけたものの動きをとめなければならないから。そのオブセッションの業火（ごうか）に、わが身を完全に焼き尽くした人物について後で語りたいと思う。

ヒュー・ロフティングの町

ドリトル先生の作者、ヒュー・ロフティングは1886年、技師の息子としてメイドゥンヘッドに生まれた。メイドゥンヘッドは、ロンドンに通ずるテムズ川上流の小さな町で、ロンドンの西40キロほどにある。ロンドン近郊というにはやや遠いが、通勤圏といえなくもない中途半端な町である。

私は今回の旅で、メイドゥンヘッドを訪問し、ロフティングの出生地とされるノーフォーク通りに立ち寄ってみた。番地まではわからない。その日はあいにく小雨がそぼふり、家々とその途中にある教会はひっそりと濡れていた。特にこれといって見どころがあるわけではない町。何の変哲もない住宅街。あたりには人影もなくしんとしていた。こんな場所で彼は何を思って育ったのだろう。ロフティングの少年時代のことはあまりよくわかっていない。

あれだけ愉快で豊かな物語を書いたのだから、ロフティング自身、小さい頃から生き物に興味を持ち、読んだり、調べたり、飼ったりしたことがあったに違いない。あるいは旅や冒険にあこがれ、まだ見ぬ遠い世界にあこがれたはずである。誰もがそう思う。

しかしここメイドゥンヘッドの町では、ドリトル先生の物語につながるような明るいイマジネーションを育む源泉となるようなものは、少なくとも私にはなにも感じることができなかった。

大富豪、ウォルター・ロスチャイルド

ウォルター・ロスチャイルドが、ロンドンから60キロほどの町、トリングで博物館を公開したのは1892年のことだった。世界で最も富める一族ロスチャイルド家の一員。一族は、フランクフルトに端を発し、ヨーロッパの主要都市に散って、一族間のネットワークを駆使して橋頭堡をそれぞれ築き上げる。中でもロンドン・ロスチャイルド家のネイサンは、ワーテルローの戦いでナポレオン敗北の情報をウェリントン将軍の発表よりも早く入手し、巨万の富を得て、大銀行家としてシティを基盤に発展していく。そのネイサンの曾孫にあたるのが、ウォルターだ。

父のナサニエルは、ヴィクトリア女王の代にユダヤ教徒初の貴族となり、一族は栄華を極めていた。当然ウォルターも跡取りとしての未来を嘱望されていたのだ。だが、

彼は吃音（きつおん）のある内向的な少年で、学校にも行かなかったという。出入りの大工が小動物の剝製（はくせい）を作るのをみて、心を奪われ、7歳にして博物館建設を夢見るのである。

ケンブリッジに進学するも、21歳にして、なんと両親から成人のお祝いとして私的に博物館を建ててもらい、動物学への傾倒を深めていく。公開時には、盛大な開館式が催された。すでに膨大な数に膨れ上がっていた蒐集品（しゅうしゅうひん）を一堂に集めた世にも類（たぐい）まれな個人博物館。このニュースと奇矯な博物館の主（あるじ）のことは華々しく報道された。トリングとメイドゥンヘッドとの距離は、わずか40キロほど。当然、このニュースはロフティング家の耳にも入っただろう。

時にロフティングは6歳。このあと彼が寄宿舎のあるチェスターフィールドの中学校に進学するまでの数年のあいだに、彼は世間で大きな話題を呼んだトリングの噂（うわさ）を耳にしたことがあったのではないだろうか。

広大な邸宅の庭に、ガラパゴスやアルダブラ環礁（かんしょう）から運び入れた100匹以上のゾウガメを放し飼いにし、アフリカから連れてきたシマウマを四頭立て馬車につないだ。オーストラリアから輸入した60羽のキイウイ鳥を連れて大学の寄宿舎に入ったというこの特異で奇矯な人物について、ロフティングはきっと興味を持ったことだろう。

そしてその人物が設立したという私設博物館についてもロフティングは行ってみた

いと願っただろう。いや、おそらく彼はなんどもせがんで、ここに通い詰めたのではなかったか。

メイドゥンヘッドからトリングまでは車ならほんの数十分。その朝、私は、正規の開館時間前に特別に入れてもらって内部を見学していた。すでに十分、圧倒されていた。

やがて開館時間のちょうど十時になった。待ちわびたように入り口から子どもたちがなだれ込んできた。階下の騒がしさでその様子がわかった。

ここに入館したものはみな等しく同じ反応をする。眼の前に展開する光景に息をのみ、ついで言葉にならない歓声や嬌声(きょうせい)を口々にあげるのだ。

入り口から足を踏み入れると、吹き抜けの一階には、主に鳥類や大型の肉食動物や霊長類の剝製が並び、二階には大型哺乳類(ほにゅうるい)の剝製や魚介類、昆虫類の標本がひしめく。ガラスのショーケースの中に次々と現れる動物たちが私を見つめる。数にして、哺乳類の剝製２０００、鳥類剝製標本２４００、爬虫類(はちゅうるい)６８０、魚類９１４、無脊椎(むせきつい)動物一式。ほかに展示されていない研究用標本もある。哺乳類の皮と頭骨１４００、鳥類仮剝製30万、鳥類の卵20万、爬虫類３００、甲虫標本が30万……加えて言うなら、博物書は３万冊。

かつてここには250万におよぶ蝶の標本も所蔵されていた。ミークが散弾銃で撃ち落として捕えたアレクサンドラトリバネアゲハ。ウォルターの死後、それはまるごと大英博物館に寄贈され、現在のダーウィン・センターのコレクションの基盤を作った。私が見せてもらったのはそれである。また、このトリングの博物館はウォルターが亡くなった1937年に収蔵物が大英博物館に移され、2004年にロンドンの自然史博物館の所属となった。

加えておくと、1753年、大英博物館の一部門として始まった自然史博物館は、自然史関連では世界でも有数のコレクション数を誇る。大英博物館の収蔵品が増え、1862年のロンドン博覧会の跡地に自然史部門が移転することになり、1881年に開館。1883年まで足かけ3年かけて引越しをしたそうで、1937年には、ウォルターが自分の動物博物館を遺贈し、さらに収蔵品が増えた。「自然史博物館」となったのは、大英博物館から独立した1990年代になってからのことで、実は最近だ。植物学、昆虫学、鉱物学、古生物学、動物学の5分野で7000万点が収蔵されている。

ウォルターはその財力にものをいわせて世界中から標本を買い付け、あるいは最盛時には400人以上ものプロフェッショナルな採集者を雇って標本を徹底的に集めた。

しかし銀行家らしく（入行して20年弱勤めたあと、父親の勘気に触れて退くのだが）、匹数、状態、希少性などに応じて、買取価格にはこと細かな条件が怠りなく付けられていた。

集められた標本は、最上級の技術者によって、蝶や昆虫は展翅され形が整えられた。両生類、爬虫類、鳥類、哺乳類はすべて剝製とされた。

ガラス玉の無数の目

そのようにして作られた動物たちの、あるいは鳥たちの標本が行けども行けどもはてしなく並んでこちらを見ているのだ。たしかにその目はじっとこちらを見ている。しかしまもなく気づく。その目はほんとうはこちらを見ているのではない。その暗い目には光がない。

いや光はある。でもその光は、無数に設(しつら)えてある小さな電球が反射して作られた、偽物(にせもの)の、うつろな光だ。動物や鳥だけではない。蛇もカエルもカメも何もかもが、その暗い目をこちらに向けている。向けているだけで何も見ていないし、何も見えてはいない。目はすでに遠い昔に死んでいる。

やがて、ここに来た人々は自分たちがじっとりと鈍く、重いものにまとわりつかれていることに気づく。すっかり疲労し、逃げ出したくなる。外の空気が吸いたくなる。とあるコーナーに回るとそこのパネルに剝製製作（taxidermy）の工程が記されていた。

1 First you skin it.
2 Then you build a new body.
3 Next fit the skin back on eyeball to eyeball.
4 Finally make the exhibition label.

あまりにもさりげなく書かれすぎているせいでなぜか可笑しさがわく。しかしほんとうはこれはおそろしく緻密な技術とおそろしく長い集中の時間を必要とする作業工程である。おそろしく緻密な技術と長い集中の時間は、その常として、人を人でなくする。

まず動物の皮をはぐ。言うはやすし。

体表の重要な部位に傷が残らないよう通常それは肛門から腹側へ、目立たぬよう、鋭利な手術用具を入れることから開始される。裂かれた開口部から慎重に内臓、筋肉、皮下組織、骨などすべてのものが取り出される。もちろん歯以外の頭蓋骨(ずがいこつ)と脳も。残った皮は、文字通り動物の「抜けがら」となる。皮は腐食が進まないように、あるいは後で虫などに食われたりカビたりしないよう、内側に特殊な薬剤が塗りこまれ、入念な下ごしらえがなされる。

ここには書かれていないが、もっとも重要なことは、もとの動物がどのような姿態(したい)をしていたのかをこと細かく正確に記録しておくことである。体つき、皮膚の張り、皺(しわ)の様子、顔つき、姿勢……さもないと抜けがらから動物を再現することができない。

a new body とは、抜けがらの内部に充塡(じゅうてん)するための張り子人形のことである。この「ニューボディ」に剝(は)いだ皮を丁寧にかぶせていく。裂かれた部位は目立たぬよう精巧に縫い合わされる。体つき、皮膚、皺、姿勢などが整えられる。まるで生きているかのようにすっくと立っている精巧な剝製の、その皮一枚下には、もはやかつて動物を支えていた骨や肉や血はなにもない。そこにあるのは木材や紙や布や粘土などで成形された白っぽい木偶(でく)人形のような何かでしかない。

そして眼だ。生物の眼球はそのまま保持することはできない。眼は、みずみずしい生きた細胞によってできているから。そこで本物の眼球はくりぬかれて廃棄され、代

わりにガラス細工で作られた義眼がはめ込まれる。義眼は生物に応じてこれまた精密に模倣(もほう)されたものが特別に作製される。しかしガラス玉はガラス玉でしかない。生きている細胞がその内部から発するものはそこには何もない。最後に、名付け親は所有の証(あかし)として、その生物に与えた名前をラベルに記す。

ほんとうの世界

博物館を後にして、車で次の宿に向かった。揺られながら、私はすっかり疲れていた。途中、それまで降っていた雨がやんだ。道はちょうど丘陵を上り、そして下るところだった。突然、視界が開けた。急に暗幕を引き上げたように雨雲が去り、青空が冴(さ)え冴(ざ)えと広がっている。時刻はすでに夕方になっていたが、高緯度にある8月のこのあたりはまだ陽が高く明るかった。遠くまで見通せる田園と草原。木々。先ほどまでの雨に湿らされた緑はどこまでもみずみずしく輝いて見えた。私は思った。これがほんとうの世界なのだ。

宿について車を降りると、庭先の芝生の上にどこからともなく茶色の猫が現れた。そして一回り小さい同じ色の猫がもう一匹、植え込みの陰から出てきた。呼ぶと人に慣れているらしく近づいてくる。石垣にとんと飛び乗って目の前まで来た。私はその猫の背中をなでた。そこには動きと柔かさがあり、そしてぬくもりがあった。猫はうれしそうに目を細めている。私は猫たちにそっと言葉にならない言葉をかけた。これがほんとうの世界なのだ。

おそらくロフティングも、いつかトリングを後にしたとき全く同じように感じたのではなかったか。死を網羅するのではなく、生の物語に耳を傾ける方法。剝製を陳列し、標本を蒐集する博物学者ではなく、それとは別の方法で、生命の動きと柔かさとぬくもりを記述する生物学者がありうるのではないかと。

あるところで、ウォルター・ロスチャイルドそのひとが、ドリトル先生のモデルとなったのでは、という説を聞いたことがある。たしかに見てきたとおり、ロフティングはウォルター・ロスチャイルドと同時代の人間であり、ゾウガメを庭に放って、その背に乗るような奇矯さは、ドリトル先生の奇矯さを彷彿とさせるところもあるかもしれない。風貌も似ているそうだ。でも、私にはむしろ逆だと思える。

つまり、端的にいえば、ウォルター・ロスチャイルドのアンチテーゼとしてドリトル先生は生みだされた。ウォルターのあくなき情熱と、奇矯さと、博識を、ウォルターとは反対側の方向へ注ぎ込むことのできる人物として、ドリトル先生は生みだされた。

世界に目を向けて

ドリトル先生は動物と話すことができる。鳥とも、犬とも、ブタとも、自由自在に会話することができる。ドリトル先生の物語の面白さと奇抜さとそして豊かさの源泉は、もちろんすべてそのことに由来している。

ではいったい、ドリトル先生は、生き物たちとコミュニケーションすることによって何を目指しているだろうか。むろん、先生はそれによって、世界を占有したり、コントロールしようとしているわけではない。むしろ逆だった。ただ耳を傾けようとしていたのだ。

あるとき、スタビンズ君が、ドリトル先生の部屋に入っていくと、先生は机の上に水の入った容器をおいて、そこに顔をつけて何か一生懸命になっていた。スタビンズ君は、最初、先生が顔を洗っているのかと思ったが、それは違っていた。ドリトル先生は、イフ・ワフという生物の会話を聞き取ろうとしていたのだ。

いや。まだ研究をはじめたばかりだからね。だが、このイフ・ワフは、わたしがどうしても手に入れたかったヨウジウオという特殊な生きものなんだ。なぜって、これは半分貝で、半分魚だからね。（『航海記』）

しかし、結局その後もイフ・ワフはほとんど言葉らしい言葉をしゃべらず、ドリトル先生はすっかり落胆してしまう。そう、先生は、生き物たちが語る彼らの世界のことどとや、昔の話を聞き取ろうとしている。それがドリトル先生の「研究」である。先生はこのあと航海に出て、大西洋を横切る時、あたり一面にホンダワラが漂流する不思議な光景の場所を通過する。まるであの神秘的なサルガッソー海域のようだ。こんなときドリトル先生の物語の描写は、ほんとうにすっかり読者を旅に誘っている。そのとき先生は、海藻の上を歩くカニを生けどりにしてそのおしゃべりが可能かどうか試験してみる。するとカニにまぎれて網に入っていた小さな魚シルバーフィジットを見つけた。そしてフィジットと話ができることがわかる。フィジットは、深海の穴に潜む、大ガラス海カタツムリの存在を語りはじめる。

（シルバーフィジット）「ううん、いない。大ガラス海カタツムリの二番目の奥さんがずっとずっと昔に亡くなって、それ以降、生きてるのはあの大ガラス海カタツムリ一匹だけだよ。あいつは巨大貝の最後の生き残りなんだ。クジラなんかが陸の生き物だった頃から生きてるんだってさ。だから、そうだな、七万歳を超えてるって噂だよ」

（ドリトル先生）「これまた驚いた。ならば、その大ガラス海カタツムリからはすばらしい話が聞けるにちがいない！　ああ、なんとかして、大ガラス海カタツムリに会えないものか……」（『航海記』）

何かを見つけ、名づけ、そしてとどめて見つめるのではなく、そのままそれが語る言葉に耳を澄ませること。ドリトル先生は、そのようなやり方によって世界を記述することを目指していたのだ。それによって、人間と他の生物とのあいだのフェアネスのありかを見つけたいと願った。世界を旅し、かそけき語り手を探し続け、耳を傾けた。ドリトル先生の物語はそのような物語なのである。

この姿勢は、ドリトル先生のもとに月から使者がやってきて、月へ赴くところにまで一貫して求められている。そして『秘密の湖』に至ってさらに深められていく。ここではドリトル先生は時間をさかのぼって生命の物語の起源を探ろうとするのだ。一方、それにしたがってドリトル先生は、楽しい動物たちと距離を置き、より思索的になっていくように感じられる。スタビンズ君との関係にも微妙な揺らぎが現れる。おそらくこれはロフティングの上に降りかかった歳月の作用かもしれない。その過程で彼が陥った（おちい）メランコリーのせいかもしれない。あるいはドリトル先生を夢中で読みすすんだ私の中の時間経過かもしれない。ドリトル先生自身の変化なのかもしれない。
このことについてはまた考察を巡らす機会があるだろう。

けれども世界に対する認識の、あるいは文化の系統発生のプロセスとして、近代が選んだのは、ドリトル先生ではなく、ウォルターのような博物学者だった。捕えて、殺し、皮を剝ぐ。新しい体を作り、そこに剝いだ皮をかぶせなおす。そして名づけ親になる。それを展示する。パズルのピースを集めていくのだ。

見つける。
名づける。
見つめる。

これが世界を記述する最も有効な方法であり、世界を占有する最も効果的な手段だったから。このようにして世界を構成する要素は、ひとつずつパズルのピースを拾い集めるように、蒐められそして所有されていった。

まぎれもなく、私自身もまたそこにつらなる。「個体発生」のその初期段階では、ドリトル先生を知ってあれほど感激したはずなのに。スタビンズ少年になりたいとあれほど願ったはずなのに。そして実際、スタビンズ少年となった私は、ドリトル先生とともに世界中を旅し、月にまで行ったはずなのに。

いつしか私はそのことから離れ、世界をたとえ一部でもいいから占有したいと思うようになった。蝶の完全な美しさを、いつまでも見つめたいと願うあまり、蝶を卵から育て、幼虫を飼育し、蛹を集めた。そして、そこから出てきて濡れそぼった翅が伸び、みずみずしく翅を広げたばかりのアゲハチョウの胸をキュッと圧して命を奪った。蝶は左右対称に展翅され、乾ききってから標本箱の中にピンで止められた。

蝶については結局、私は、見つけ、名づけることはできなかった。かわりに、年を経て、捕虫網のかわりに、ミクロな採集用具の存在を知った。私は、それを握りしめて、細胞の森の中に分け入っていった。そこには、まだ誰にも名づけられていない未知の分子や遺伝子が、目では見えないにもかかわらず、トリバネアゲハの緑色やモルフォチョウの青色に似た輝きを発して、梢高くにきらきらと飛翔していた。私は夢中になってそれを捕えはじめた。

私自身の内部で、昆虫少年が去り、ドリトル先生が消え、そのかわり、おそろしく緻密な技術とおそろしく長い集中の時間を必要とする剥製師のような情熱が激しく私を駆り立てた。つまり私という個体発生は、まさしく時代の系統発生を繰り返しはじめたのだ。

第3講　なぜ生命史を私たちは必要とするのか

スタビンズ君の登場

前章で訪れた場所について、検証していきましょう。

ドリトル先生が暮らしていたパドルビーの町は、イギリスのいったいどのあたりにあったのでしょうか。ドリトル先生の物語を読むようになって以来、ずっと私はそれを知りたいと願っていました。私が一番最初に手にした巻、そして今でも一番好きな巻、『ドリトル先生航海記』の冒頭は、こんな印象的な記述から始まっています。

私の名前はトミー・スタビンズ。水辺の町パドルビーの靴職人ジェイコブ・スタビンズの息子で、その頃の歳(とし)は九歳と半年でした。当時のパドルビーはほんとうに小さな町でした。（……）

橋のそばの波止場には、海から川をさかのぼってきた帆船(はんせん)が錨(いかり)を下ろしたものでした。私は波止場へ行って、船乗りたちが船荷を岸に下ろしているのを眺めるのが大好きでした。（……）

海へ向かう勇壮な帆船――パドルビー教会に背を向けて、川を滑るように下り、広く荒涼とした湿原を抜けていく船――で航海に出てみたい、というのがその頃の私の夢でした。船で海を渡り、見たこともない国に行って、運試しをしてみたくてうずうずしていたのです。アフリカやインド、中国、ペルーといった国に行ってみたくてたまりませんでした。（『航海記』）

トミー・スタビンズ君は、この『ドリトル先生航海記』で初めて登場します。『航海記』に先立って刊行された『ドリトル先生アフリカゆき』は、シリーズの一番最初に書かれた作品でしたが、そこでは物語は、こんな風に始まります。「むかし、むかし、そのむかし――私たちのおじいさんが、まだ子どもだったころのこと――ひとりのお医者さんが住んでおりました。そのお医者さんの名まえは、ドリトル――医学博士、ジョン・ドリトルといいました」

つまり、いわゆる昔話の定型として、普通の三人称の文体で書かれていました。

ところが『航海記』になって初めて物語は、トミー・スタビンズ君という語り手を得ることになりました。このことはドリトル先生の物語に、思いがけないほどの深みをもたらすことになったのでした。

なぜなら、以降、ドリトル先生のシリーズはすべてスタビンズ君の実体験として、一人称の文体で書かれることになったからです。スタビンズ君を得て、ドリトル先生の物語はがぜん生き生きとしたものになりました。そして、スタビンズ君を得ることによって、はじめてドリトル先生という人物の面白さ、奇妙さ、不思議さ、キュートさ、そして公平さがくっきりと浮かび上がることになったのです。

そしてそのような人物の存在が、少年にとってはかりしれない大きな意味を持つことが明らかになって行きます。結論を先にいってしまえば、ドリトル先生の物語の魅力はそこにあるといっても差し支えないでしょう。

私が、ドリトル先生のシリーズをこの『航海記』から読み始めたことはまったく偶然のことでしたが、それはたいへん幸いなことでした。ちょうどスタビンズ君と同じくらいの年齢のころでした。私はいつものように放課後、図書館に行きました。本棚のあいだを行きつ戻りつしていると、一冊の小さな本が目に留まりました。というよりも、その背表紙が私をそっと呼んでいるような気がしたのです。抜き出してみると、それが岩波少年文庫版『ドリトル先生航海記』でした。おぼろげな記憶ですが、装丁は、アールデコ調の地味な文様を散らした布張りデザインだったように覚えています。

一行目を読み始めた瞬間から、私はたちまち吸い込まれてしまいました。私はそのままスタビンズ少年になっていました。スタビンズ少年になった私は、パドルビーの町を流れる川の岸の石垣に腰をかけ、足をぶらぶらさせながら水面を眺めていました。

スタビンズ君は、貧しい靴職人の息子で、学校に行かせてもらえませんでした。あるときお使い役として靴を顧客のところに届けにいって、居丈高な振る舞いを受け悲しい気持ちになります。帰り道、急に夕立が降り出しました。スタビンズ君は顔を上げずに走りだして、向こうからきた人とうっかりぶつかってしまいます。二人ともその拍子に尻もちをついてしまいました。こうしてスタビンズ君はドリトル先生と出会うことになります。スタビンズ君は先生に誘われて先生の家に行きます。濡れた服を乾かしながら夕食を食べさせてもらいます。そして先生の家族たち――それはすべて動物なのですけれど――を知ることになります。

このあと彼はドリトル先生の助手となって、先生とともにさまざまな旅に赴くことになるのです。

その日、ドリトル先生はスタビンズ君を送るため家を出ます。夕立はすでにやんでいました。まだ空は完全に暮れてはおらず、西の方は、沈もうとする夕陽であかく染まっていました。二人の出会いを描いたこの場面はとても美しく印象的です。

未知の世界への憧憬（しょうけい）

もちろん「水辺の町パドルビー」は、ドリトル先生の物語の中の架空の町です。その原語、Puddleby-on-the-Marsh も、いってみれば、水のほとりの水たまり町、みたいな単なる言葉あそびだ、ということもできるでしょう。しかし、この風景描写には少年の、まだ見ぬ世界へのみずみずしい憧憬がありありと込められています。そしてこののち、ドリトル先生の物語が始まったあとも、川べりに行き交う船の風景を眺めていたこのときのスタビンズ少年の気持ちは、ずっと彼を支え続けることになります。つまりこの風景は少年の原点を示す心象でもあるのです。

『航海記』の最初の、このとても叙情的なシーンは、同じく私が子どものころ愛読していたSF作家ジュール・ベルヌの言葉を思い出させます。ベルヌはフランス西部のナントで生まれ育ちました。ナントはロアール川河口ちかくの港町です。高台から川を見渡すことができます。ベルヌ少年は、大型船が毎日幾隻（せき）も通り過ぎるのをそこから眺めるのが楽しみでした。ベルヌは「川を上下する無数の白い帆を遠くに眺めていると、海の向こうへ旅したいという気持ちがわきおこる」（筆者の意訳）と自伝的エッセイ『私の少年時代』で述べています。

まだ見たことのない場所。そこへつながる何かを手掛かりに、想像力が遠い射程をどこまでも伸びていく。私が好きな作家には、彼ら共通の心象として、そのような原体験があったのではないでしょうか。そう、私がそんなふうに共感的に思えるのは、私自身もそのような夢見がちな子どもだったからかもしれません。

「ドリトル先生」の作者ヒュー・ロフティングもきっとどこかで同じような風景を見ていたのではないか。そう私は確信するのです。その風景を見つけることが、あのときのスタビンズ君を見つけることになるのではないか。そしてスタビンズ君を見つけることは、ドリトル先生を見つけること、あるいは、ドリトル先生の物語の意味を見つけることになるのではないか。そう私は思ったのでした。

なんだかすでに私も、すっかりスタビンズ君文体になってしまっています。

パドルビーを探したい

さて、パドルビーを探すための、いくつかの大切な手がかりが『航海記』の中にあると私は考えました。まず第一に、パドルビーは世界中を航海してきた船が錨を下ろし、荷物を下ろすような、ある程度の規模の港を持つ町だということです。そして港は直接、海に面しているのではなく、海から河口ちかくの沼沢地（marsh）を通り抜けてすこしばかり川をさかのぼってきたところにあります。

しかしそれはそんなに上流ではありえません。いくつかの挿絵でもパドルビーの町を流れる水の川幅はかなり広く描かれています。『航海記』で、ドリトル先生とスタビンズ君が乗った船は、パドルビーの港から出帆し、静かに川をくだりはじめます。そして途中、急な曲がり角で、浅瀬に数分間ひっかかってしまいます。しかしまもなく船はそこを脱し、河口の灯台を通り過ぎてひろい海にでます。ですから海まではほんのすぐなのです。

パドルビーが河口近くにあることは、スタビンズ君の友人、「貝採り名人のジョー」の存在からもわかります。ジョーは橋の下の水ぎわのちっぽけな小屋に住んでいるおじいさんで、エビや貝をとるのが生業（なりわい）です。スタビンズ君はときたまジョーに貝採り船に乗せてもらいました。船に乗って川を下るとセリの生い茂る河口が広がり、そこには白シギや赤シギなどの海鳥が飛び交っているのが見えました。

セリとは雑草のことです。貝採りジョーは、“Joe, the mussel man”。ですから彼の採っている貝はいわゆるムール貝（マッセル）のことです。つまり、パドルビーは、ムール貝が採れるような、海水と川がまじりあう汽水域ちかくにあるのです。

そしてパドルビーは、「ほんとうに小さな町」とはいうものの、それなりの人口と市街地をもっていたと思われます。スタビンズ少年は町のこちら側の自宅からあちら側（おそらく川をはさんでということでしょう）のドリトル先生の家まで徒歩でかなり歩いて通います。

またパドルビーには巡回裁判所（assize）があります。痛快なことに、ここでドリトル先生は、ある殺人事件の証人として犬の喚問を提案します。最初まったく相手にしなかった裁判長に対し、ドリトル先生は、裁判長の飼犬から裁判長の昨晩の夕食のメニューと行状を正確に聞き出し、犬と会話できることを証明してみせるのです。ドリトル先生は見事、友人である「世捨て人のルカ」（Luke the Hermit）の無罪判決を勝ちとったのでした。

ドリトル先生とスタビンズ君が出会い、さまざまな冒険を開始したのは、物語の記述から１８３９年以後のことだといえるのです。当時、イギリスの地方都市で巡回裁判所がおかれるにはある程度の人口規模があったはずです。

鮮やかなる虚実

さて、パドルビーの町がどのあたりにあったのか？　実は、『航海記』の中には決定的な記述があるのです。

ペンザンス。

最初にドリトル先生の物語を読んで以来、私はずっとこの地名を覚えていました。ペンザンスはイギリスの南西の端っこに実在する町です。でも、いうまでもなくペンザンスがパドルビーというわけではありません。そこにはこんないきさつがあるのです。

ドリトル先生、スタビンズ君、そしてバンポが乗る船はカーリュー号といいます。バンポは、ドリトル先生がかつてアフリカに行った時、知り合った黒人の国ジョリギンキの王子で、オックスフォード大学に留学中です。そしてドリトル先生のおなじみの家族、オウムのポリネシア、サルのチーチー、犬のジップたちも乗組員です。カーリュー号はいよいよパドルビーを出航します。めざすはクモサル島。地図帳を適当に開いて、目をつむったまま鉛筆をおろして決まった、という気まぐれな旅の目的地です。スタビンズ君にとってはもちろん初めての船旅。夢が実現した彼は最高潮に高揚しています。

出航初日の夕方、食事が始まる直前、バンポが密航者を船倉の隅に見つけました。航海にはつきものの事件です。それは、ネコ肉屋のマシュー・マグでした。マシュー・マグは、飼い猫や飼い犬用の肉を売ることを生業とする人物です。パドルビーの町で、スタビンズ君の数少ない知り合いの一人でした。学校に行くことができなかったスタビンズ君には同世代の友だちがなく、会話してくれるのは、貝採りジョーやマシュー・マグなどわずかな大人だけなのでした。しかもいずれも社会的にいえば、普通とはちょっと外れた人たちです。しかし、パドルビーの町に、ドリトル先生という有名な博物学者がいること、ドリトル先生は生き物のことなら何でも知っていることをスタビンズ君に教えてくれたのはジョーやマシュー・マグだったのです。ジョーは、原文では、博物学者のことを naturalist ではなく、nacheralist と発音しています。

実際私もブリストルからペンザンスまで旅をし、ペンザンスでは船に乗って海に出て、彼らの体験を味わってみました。ここまで来たらもう引き返せません。その気持ちはマシュー・マグも同じだったでしょう。

マシュー・マグは航海への誘惑に駆られてこっそり船に乗り込み潜んでいたのです。どうりで出発の見送り人の中に、いつもいるはずの彼の姿がなかったわけでした。マシューは船倉で小麦粉まみれになっているところを発見されました。マシューは船倉で無理な姿勢でいるうち、持病のリューマチが発症し、すっかり弱気になっていましたが、このまま航海に連れていってほしいと懇願します。しかしドリトル先生はきっぱりといいわたします。

「そうだよ、マシュー、ほんとうにリューマチにはよくないんだ。だから、おまえはこの船に乗ってはいけなかったんだよ。こういう人生には、おまえは向いていないんだ。長い航海を少しも楽しめないだろうからね。ペンザンスの港に寄るから、そこでおりたほうがいい」

そのあと先生はこういいます。

「ペンザンスからブリストルまでは馬車で行くといい。ブリストルからなら、パドルビーはそう遠くないからね」

原文では馬車が coach となっていますが、これは定期便の乗合馬車のことでしょう。

それに乗ってペンザンスからブリストルへ行き、ブリストルで降りて、あとは徒歩でパドルビーに行けるということです。

つまりこういうことです。パドルビーはブリストルのごく近くにあるというわけなのです。親切なドリトル先生は着のみ着のままのマシューに、ブリストルまでの交通費を渡してやります。

私はさっそく地図と、それからグーグルアースを使ってブリストルとペンザンスの位置関係を調べてみることにしました。ブリストルはロンドンの西約200キロ、ブリストル湾が切れ込んだ一番奥にあります。まさに大西洋への玄関口です。そこからコーンウォール半島がタツノオトシゴの鼻先のように伸びています。ペンザンスはその突端にあります。

そうです。ドリトル先生のカーリュー号は、ブリストル近くの町パドルビーから出発し、帆は風をはらんでブリストル湾を順調に航行していきます。そしていよいよ外洋に出ようとしたとき密航者を発見したのです。そこで最寄りの漁港、ペンザンスに寄ることにしたのです。

朝早くパドルビーを出帆したカーリュー号がペンザンスに到着したのは「夜の十一時頃」となっています。ブリストルからペンザンスまでは、海路でおよそ300キロ。

帆船の巡航速度からしてちょうどいいあんばいになっています。空想の物語とはいえ、作者ロフティングは考証すべきはきちんと考証しながら書いているというわけです。

このような鮮やかな虚実の往還は、ドリトル先生の物語の魅力でもあります。たとえば、ドリトル先生にいつも大事なニュースをもたらすチープサイドというロンドン雀がいます。都会の下町のやんちゃ言葉でしゃべり、お高くとまっている南洋の鳥たちにすぐ喧嘩をふっかけます。なかなか得難い役者です。さて、物語の中で、チープサイドはロンドン、聖ポール寺院の南側にあるエドモンド聖者の左耳に巣を作り、そこに6年住んでいたとあります。寺院を設計した建築家が全ての像の清掃を命じたため一時期、イングランド銀行に引っ越しましたが、掃除が終わって元の場所に戻ったといっています（『月から帰る』）。

また『緑のカナリア』では、ドリトル先生が聖ポール寺院にチープサイドを探しに行くシーンがあります。空を見上げて高いところにあるエドモンド聖者像を見ていると、小さな点が像の耳から飛び出してきて、弾丸のように目前に舞い降りてきた（それがチープサイド）とあります。

私はロンドンに到着するとまずはチープサイドを見つけに聖ポール寺院に駆けつけました。そして寺院の大伽藍の南側にまわってエドモンド聖者像を探し出してみよ

う と思いました。聖人像は何体も高い屋根に沿って立てられています。でもエドモンド聖者像らしきものは見当たりません。思い余った私は、聖(セント)ポール寺院の広報に問い合わせてみることにしました（このような観光名所にはちゃんとした広報部があるのです）。

回答はなかなかふるっていました。エドモンド聖者像はない。ステンドグラスならあると。「やられた」というのが私の正直な感想です。しかし意外な発見をしました。聖(セント)ポール寺院からイングランド銀行があるシティの方向へ伸びる道路はなんとチープサイド通りなのでした。

それからもうひとつ。ドリトル先生のサーカス団が好評を収め、無事、興行百日を迎えたことがありました。そこで先生はロンドンのストランド通りにあるレストラン「パッティ」にみんな（動物たちです）を集め、一夜、宴(うたげ)を催します（『キャラバン』）。イタリア料理の店とありました。ストランド通りという通りはちゃんと存在していました。期待が高まります。地図で見るとストランド通りにあるレストラン「パッティ」があれば、今夜はそこでドリトル先生の好物、スペアリブを食べよう。

しかしダメでした。通りはあれど、お店は存在しないのです。またまたロフティングに一本取られました。

ブリストルへ

さて閑話休題。ペンザンスもブリストルも実在の町です。グーグルアースでブリストル上空からブリストル市街を鳥瞰（ちょうかん）してみて、私は驚かざるをえませんでした。そして興奮が立ち上がってきました。

ブリストルは古くから港湾都市として栄えた町ですが、海に直接面しているのではないのです。大西洋から切れ込んだブリストル湾はセバーン川という大河川につながります。ブリストルの町は、セバーン川の河口に合流する別の河川、エイボン川に沿ってすこし上ったところにあります。そしてエイボン川から掘割を導いて、大きな船が入港し、荷物の積み下ろしができるようにした人工的な港湾が建造されました。これによって海の状態に影響されない港ができたのです。逆に、ここから出航して、エイボン川を下って少し蛇行した流れをたどるとやがて海が開けることになります。まったく、パドルビーの設定にうりふたつです。

私は是非ともブリストルへ行かなくてはならない、と固く心に決めたのでした。

ブリストルは今では、イギリス西部の活気溢（あふ）れる中核都市になっています。近代的

なビルが立ち並び、華やかなショッピングモールには人通りが絶えません。

しかし川筋に出てみるとそこにはゆったりとした時間が流れているのに気づかされます。護岸の石積みは、黒く苔むしています。橋がいくつもかかっています。その橋は、大きな船を通すために、回転したり跳ねあがったりする仕掛けになっています。クレーンが何台も並んでいます。倉庫が屋根を連ねています。そして岸にはたくさんの船がつながれています。ここには静けさがあります。

実は、ブリストルは商業的港湾としては今では廃れてしまっているのです。かつて奴隷貿易など植民地との交易で栄えたのですが、船の大型化に伴い、浅いブリストル港には大型船が入れず、リバプールなどの後塵を拝するようになりました。今では、郊外の新港こそ再び活気を取り戻しているようですが、かつてのブリストル港の中心はさびれた印象です。

私は、水面を見ながら川に沿って歩いていきました。あたりは石畳です。橋を通り過ぎました。名前は、王女橋（princess bridge）です。

ふと見ると、川岸の石垣の上に、腰かけるのにちょうど良い角っこがありました。私はそこまで歩いていき、座りました。そして、水の上に向けて垂らした足をぶらぶらさせながら、あたりを眺めてみました。川幅は広く、ゆっくり流れています。とき

おり小さな船が何人かの人を乗せて行き交います。その先で川は大きく曲がって見えなくなります。左右の岸には、あまり手入れされていないような背の低い船が何艘もつながれて揺れています。対岸には低い建物が並んでいます。川の向こうには教会があり、高い尖塔がそびえています。雲のあいだを鳥が悠然と飛び交い、やがて遠くへ飛び去っていきました。

川風に吹かれながら私は思いました。

とうとうこの場所に来ることができたよ。スタビンズ君。

ペンザンスの町の明かり

次の日、私はペンザンスへ向かいました。ほんとうはドリトル先生とスタビンズ君のように、ブリストルの港から船に乗って川から海へ出帆できたらどんなにかよかったのですが、それは叶わず陸路での移動でした。コーンウォール半島を一路南西へ向かいます。

ペンザンスはひなびた港町でした。海に向かった狭い斜面に家々が張りついています。そして海沿いの煙突という煙突、旗竿という旗竿に、必ず白い海鳥がとまっているような、そんな町でした。

夜半にこのペンザンス沖についたドリトル先生の船は、暗がりのなか灯台の明かりを頼りに、たくさんの暗礁（あんしょう）や浅瀬を上手にさけてゆきました。そして先生は三人の密航者（マシュー・マグだけでなく、なんと世捨て人のルカとその女房まで乗り込んでいたのでした）を、小さなボートに乗せて、陸に送り返し、そして宿屋を探してあげたのです。船に帰ってきた先生は、ルカの女房がすっかり気分がよくなったので（密航中、ひどい船酔いになったのでした）、安心しました（『航海記』）。

私は、ドリトル先生がルカたちのために見つけた宿屋はどんなところだったのだろうと思いながら、ペンザンスの海沿いの道を歩いていきました。すると一軒の古いパブがありました。中から柔かな光が洩（も）れています。私はそこに入ってビールとフィッシュアンドチップスを注文しました。そしてパドルビーの川岸に座っていたスタビンズ君が、航海のその第一日目、ペンザンスで夜を迎えたときの気持ちを想（おも）い起こしてみました。

私は夜遅くまで起きていられて嬉（うれ）しかったのですが、それでも、眠れると思うとほっとしました。ドリトル先生の寝台の上にある、自分の寝台にあがって、毛布にくるまると、枕に頭を載せたままでも、傍らの舷窓から外が見えるのに気づきました。錨を下ろした船が揺れて、ペンザンスの町の明かりがゆらゆらと動いて見えました。まるでおもしろいショーを見ながら、そっと揺られて眠りにつくかのようです。海での生活っていいなあ——そんなことを思いながら、私はあっというまに眠りに落ちました。（『航海記』）

親切なドリトル先生は、密航者ルカのために、ペンザンスの友だちへ、ルカの働き口を見つけてくれるよう手紙まで書いてもたせたのでした。ビールを飲みながら私はふと思いました。ルカたちを宿屋まで届けたあと、ひとりになったドリトル先生はちょっと一杯ひっかけたのではなかっただろうかと。

ドリトル先生と出会う

ドリトル先生の物語の中で、私がもっとも好きで、もっとも美しいと思える場面は、『航海記』の中で、スタビンズ少年が、はじめてドリトル先生と出会ったときの一連のシーンです。

雨にずぶぬれになった服をドリトル先生の家で乾かし、食事もごちそうになります。そのあとスタビンズ少年は、ドリトル先生に連れられて、町の反対側にある自宅に戻ってきます。スタビンズ少年は、ドリトル先生を両親に紹介します。おとうさんがフルートの練習をしていたのを見たドリトル先生は、フルートを借り受け、自ら演奏を始めます。その音色は、深く、温かく、限りなく美しいものなのに、どことなく物悲しいものでした。両親は聴きほれています。スタビンズ少年もしみじみと聴きほれます。そしてなんだか胸が詰まるような気持ちになって、自分がもっとよい子であったらなあと思うのです。

実に、ここにドリトル先生の物語の秘密があると私は思うのです。ドリトル先生の物語は楽しく、愉快で、わくわくする冒険に満ち溢れているのに、一方で、このフルートの音色のように、そこはかとなく物悲しく、抒情（じょじょう）と旅情がたえず遠い通奏低音のように流れているのはなぜでしょうか。

それは今、この物語を書いている「私」、つまりトミー・スタビンズが、あの土砂降りの雨の日の夕方、ドリトル先生と出会った9歳と6カ月のトミー・スタビンズではもはやないからです。あの日はじめてドリトル先生の家に招かれ、食事をごちそうになってから帰ろうと外へ出るとすでに雨は上がって、しかしまだ西の空は暮れきってはいませんでした。

あの夕暮れ時から長い長い月日がながれました。「私」はすっかり老人となりました。オウムのポリネシアだけが生き残っています。たのしい家族たちはみんなもうどこかへ消えてしまったのです。もちろんあの優しいドリトル先生も。だからこそこの物語はこんなにも美しいのです。

第4講　ナチュラリストに会いに行く

ナチュラリストの条件

ナチュラリストとはどういう人なのでしょう。あらためて考えてみたいと思います。

まず、最初に言えることとは、都会的なセンスを持った人こそがナチュラリストになれる、ということです。自然の中に生まれ、自然にはぐくまれて自然児として育てば、必ず自然を愛するナチュラリストになれるというわけではない、と思うのです。では、都会的なセンス、とはなんでしょうか。それは単に都会に生まれ育つ、ということではありません。

自然に触れたときに、目の前のものを相対化することによって初めて得られる「センス・オブ・ワンダー」を持つ人をこそナチュラリストと呼ぶことができます。先述のとおりセンス・オブ・ワンダーは、環境問題に最初の警鐘を鳴らした米国の女性海洋生物学者レイチェル・カーソンの言葉（書名）でもありますが、日本語に訳せば、自然の精妙さに驚く心、あるいは自然に対する畏敬の念、ということができるでしょう。最初から自然の中にいると、それが当たり前になってなかなかワンダーを感じることができません。

私も、図鑑で、青いルリボシカミキリの姿を見て、なんて美しいのだとあこがれました。でも都会で目にすることはかないません。幾夏も野山を探し求めましたがなかなかホンモノのルリボシカミキリに出会うことはありませんでした。でも数年後のある日、ある山道の朽ちた木肌の上に、ふわりとルリボシカミキリがとまっていたのです。その背は、図鑑でみた写真よりも何倍も深い青で輝いていました。私は文字通り、その場にひざまずきました。

ところが、あれほど青く光っていたルリボシカミキリは、採集して標本にすると、標本箱の中で、徐々にその輝きが失われていってしまうのでした。自然の脆さに触れることもまたセンス・オブ・ワンダーだといえるでしょう。

よく気がつくこと

貧しい少年トミー・スタビンズが、ドリトル先生と出会い、自分も先生のようなナチュラリスト（井伏鱒二訳では博物学者）になりたい、ぼくにもなれるでしょうか、と問うたときのことを思い出してください。よき相談役としてドリトル先生に仕えているオウムのポリネシアに聞いたときには、彼女はこう問い返しました。「あなたは注意深いほうですか？（Are you a good noticer?）」、いろいろなことによく気がつくか、と。

昨日、庭の木に来た二羽のムクドリが今日また枝にやってきたとき、どちらがどちらか言えるくらい、自然をよく見極められるか、ということです。この言葉は、密（ひそ）かに科学者を目指していた私の心の隅に強く残りました。

子どもの頃、川や池があるといつもその辺りまで行って、水の中を覗（のぞ）き込んでいました。魚や水棲（すいせい）昆虫の姿が見たかったからです。浅い水底には朽葉や泥のついた水茎が沈んでいるだけで、生き物の気配はありません。しかし、しばらくじっとそのまま息を殺していたら、目の隅の方で、キラリと何か光るものが一瞬走ったではありませんか。はっとしてそちらを見定めます。細い魚影がすばやく動いていました。クチボソカモロコです。背の黒い小魚は陸上からは見つけにくいのですが、水中で身を翻す一瞬だけ腹側の銀鱗がきらめくのでその存在がわかるのです。

いったん魚が生息する深度がわかると、ロボコップみたいにフォーカスをその層に合わせることができます。すると、不思議なものでそれまで気づかなかった魚影が次々と見え始めるのです。水面の下には驚くほどの数の魚たちが、ぐるぐると群舞しているではありませんか。なんだかうれしい気分になります。

絶え間なく移ろう自然の動きを知るには、観察者の方が動きを止める必要がある。そんなシンプルな原則があります。こんなこともグッド・ノーティサーの条件、つまりナチュラリストの資格たり得るのです。

ヴィンチ村のレオナルド

誰もが知っているレオナルド・ダ・ヴィンチ（1452〜1519）は良い例だと思います。彼については、「ヴィンチ村という田舎に生まれたので、その豊かな自然の中で、彼の自然に対する細やかな観察眼が育まれました」……といったふうに伝記にはだいたい書いてありますが、彼の出自を知るには、それだけでは十分ではありません。

レオナルドは、フィレンツェという当時の大都会で、街を支配するメディチ家を顧客に持つ公証人（いまでいえば行政書士とか公認会計士のような仕事）をするやり手男性ピエロの私生児でした。父親はフィレンツェから山にかなり分け入ったヴィンチ村に土地を持っており、そこに通ううちに村の女にレオナルドを産ませたようです。つまり、正妻ではない女の子どもです。15、16世紀のイタリア社会はそのような子どもを差別的に扱いました。財産を継ぐことはおろか、境遇や教育面でもさまざまなハンディを負うことになりました。レオナルドが、父の仕事を受け継ぐこともなく、正規の高等教育を授かることもなく、工房に弟子入りしたことからもそのことはうかがいしれます。

ただ、レオナルドの生活の場所は田舎の村でしたが、たびたび都会フィレンツェにきて見聞を広めていたようです。父の家系も都会人、友人知人もメディチ家につらなる都会の人々でした。お父さんは大都会で華やかに仕事をしているのに自分は違う。そのコンプレックスと屈折がレオナルドの底層にあることはまちがいありません。

自分をどこか遠いところにおいて、そこから世界もしくは自然を見る。そのメンタリティが、レオナルドをして驚くほど目利き（めき）の「観察者」にしたのではないかと私は推理しています。

レイチェル・カーソンの「センス・オブ・ワンダー」も、都会的な感性の中から生まれてくる気がします。結局は自然の細部をじっと見極めないと得られないものです。自然の精妙さに対する驚きや敬虔（けいけん）の念もまたその感性から生まれてくるものだと思います。そういえば、ドリトル先生自身もまた田舎で暮らしながらも、都会的なセンスを持つジェントリー階級の出身でした。

田舎に生まれたから田舎人、都会に生まれたから都会人というわけではありません。東京と地方も関係ありません。自然に目を向ける感覚と、都会的な感性の相互作用にナチュラリストの芽があるのだと思います。レオナルド・ダ・ヴィンチも、直訳すると「ヴィンチ村のレオナルド」ですから、そもそも村の外から呼びかける形のこの名前こそ、彼の都会的な側面を言い表しているのかもしれません。

時間軸を持つ

ナチュラリストになるために、センス・オブ・ワンダーとともにもうひとつ重要な要件として、自分だけの時間軸を持つ、ということがあると思うのです。

私は常々、科学を学ぶためには科学史を学べばよい、と言ってきました。たとえば、細胞の中にはミトコンドリアがあり、そのミトコンドリアは呼吸を司っている、という知識があります。教科書的には、細胞→ミトコンドリア→呼吸という関連を覚えておけばテストで点が取れます。でもナチュラリストの心を持っているとまずこう思います。「ミトコンドリアってこのへんてこな名前は、いったい、どこの誰が、いつ、なぜ名づけたんだろう？」と。そこから時間軸の探索がはじまります。調べると、ミトコンドリアという名称は今から百年も前に作り出された言葉であることがわかります。でも、当時はその機能については何もわかっていなかったのです。顕微鏡で細胞を見ると、中に糸くずのようなものが、もやもやと見えた。ミトコンドリアの「ミト」とは「糸」という意味です。「コンドリア」は「粒子」。糸状の粒子。川を見るとその源流を辿りたくなってしまう。これがナチュラリストとして学ぶことの楽しさです。

さて、細胞内の微細な構造体が、糸くずのように見えた、ということは実はとても重要でした。顕微鏡で観察するプレパラートは、細胞をまるごと見ているのではなく、細胞をさらにごく薄くそぎ切りした切片です。実際の細胞にはもっと厚みがあります。糸状に見えたものは、糸ではなく、立体的に見るとむしろ、きしめんか紙テープがへアピン状に折りたたまれたものではないか、科学者たちはそう気づきました。また時間軸が一歩進んだのです。

線ではなく面。そして面が折りたたまれていることは面積を稼いでいるということです。細胞内の限られた空間の中で、わざわざ面積を稼がなければならない理由は、その面の上で重要な活動が行われているということです。調べてみると、「きしめん」の上にはエネルギー生産に関与する酵素群が整列して並んでおり、栄養素からエネルギーを生み出す反応が進行していました。コンパクトなスペースで、できるだけたくさんの反応を起こすために、表面積を増やす構造体がパックされている。それがミトコンドリアでした。細胞内のエネルギー生産。それは細胞内呼吸と名づけられました。呼吸とは息を吐き、吸うことだけでなく、酸素を使ってエネルギーを生み出すことでもあったのです。ミトコンドリアは細胞内の呼吸の場であり、代謝の場であるという思考につながっていきました。この科学史が作られるのに百年かかったのです。

とはいえ、今から見ると、合理的な思考が点と点で連鎖しているように見えますが、科学の成り立ちにはさらに紆余曲折(うよきょくせつ)や試行錯誤がありました。さまざまな誤謬(ごびゅう)や空想もあったのです。でもそれは重要なことでした。結果ではなく、その時間軸、そのプロセスこそが実は豊かさなのです。

点と点をつないでできた教科書的な言説というのは、それが漂白され、抜け落ちてしまっています。ナチュラリストとして学ぶ、とはそんな漂白されたプロセスに想像力を働かせることなのです。

つまりナチュラリストはものしり博士ではありません。ものしり博士的な知識量と、いわゆる「教養」とはいったい何が違うのか、といえばそれは自然を観(み)る時、世界を考える時に、自分の時間軸を持って知を再構成しようとしているかどうか、ということにかかっていると思うのです。

一冊の本から広がる世界

それならば自然にセンス・オブ・ワンダーを感じ、世界に対して時間軸を持つにはどうしたらいいのか？

その方法論はあると思います。多くの人がそうであるように、まず、書物と上手に出会い、つきあうことです。文献派はナチュラリストの特徴でもあります。

なにしろ、近所の森の中で見つけた世界の宝物を、百科事典を広げて文字で確認し、そしてまた自然の世界に戻り、と自然と書物の往還を何度も繰り返していくのです。

私もそんな少年でした。とはいえ、それほど難しい文章を最初から読めたわけではありません。シンイチ少年が出会い、決定的に人生を変えた二冊があるのです。

まずあげたい一冊は、田淵行男(たぶちゆきお)の『高山蝶(ちょう)』(朋文堂、1959年)で、今では古書店で20万円もするそうです。この人は、高い山にいる蝶を研究し、誰にも撮れないような写真を撮った人です。以前にNHKで田淵さんを特集した番組にも出演しましたが、この本、そして、この田淵さん本人に、私は強い思い入れがあります。田淵さんのことは後述するとして、もう一冊は、すでに紹介した『原色図鑑　世界の蝶』(中原和郎、黒沢(澤)良彦著、北隆館)。

この本は、私が小学生くらいの頃に定価6千円でしたが、いまは4万円以上の値段が付いているそうです。大人になってお金を使えるようになってからは、自然科学専門の古本屋、東京・神保町(じんぼうちょう)の鳥海(とりうみ)書房にはよく足を運んでいます。古書センタービル3階のこの店へ行けば、出会うものが必ずある。ですが、状態がきれいな『世界の蝶』の古本は、なかなか鳥海書房にも出てきません。それなのに、この前池袋のジュンク堂に行ったら、同じデザインでぴかぴかの新本が売られていました。え、何でこんなのがここに？　と思ったら、復刻版(最初の版は1958年に刊行され、復刻版は2016年に『原色図鑑　世界の蝶』としてほぼ同じ形で出ている)でした。

私が「この『世界の蝶』という本が素晴らしい」と散々あちこちで言っていたおかげで復刻されたのかどうかはまったく定かではないものの、こっそり版元の北隆館がこれの復刻版を出していたのです。北隆館にはその真相を確かめたいところです。あいさつがあってもいいのでは、なんてね。そんな想像をするのも楽しいくらい、この本には思い入れがあります。

ロゴスを持つ

ナチュラリストというのは、虫好きとして名高い養老孟司先生にしろ、奥本大三郎さんにしろ、池田清彦さんにしろ、不肖シンイチ少年にしてもみんな、先ほど書いた「センス・オブ・ワンダー」を持って、実際の昆虫と文字を往復していました。しかも、実は、チョウチョやクワガタムシ、カミキリムシの実物を見る「前」に図鑑の記述を見ている場合が多い。図鑑を見て「あ、こんなにきれいな虫が世の中にいるんだ」と知る。そこから野山に出かけて本物を探すようになります。

『世界の蝶』は、ザ・ベスト・オブ図鑑、美しい世界の蝶を集めている逸品ですから、少年のハートを摑まないわけがありません。

つまり、「本物を見たい」という熱望をかき立てるわけです。「ロゴス」としての言葉と、本当の自然という意味の「ピュシス」を行き来するのです。フィジオロジーとかフィジックスと言った言葉の最初の接頭辞のPHYSISというのは、「フィシス」ないしは「ピュシス」と読み、ギリシャ哲学では、捉(とら)えどころのない、みずみずしい自然を指します。そこから法則や名前、名付けや分類が生まれて、ロゴスとしての学問が出てきます。

だから、世界を見る方法において、大きな対立軸として「ロゴス対ピュシス」の構造があるはずなのですが、ナチュラリストになる少年少女の多くは、やはりロゴスから世界に入っていくわけです。

少年少女は、図鑑のような、ある世界の具体的な事物を網羅してまとめた書物で、その世界の成り立ちに気がつきます。なにしろ、途方もなく精妙で不思議なものがあって、それが図鑑の中では分類、整理されているのです。「こんなにきれいなカミキリムシがいるならば、本物が見たい」と野山をさまよって、でも、もちろんなかなか出会えず、それでいて本物を見つけたり捕えたりするチャンスは誰にでも必ずあることはわかっている。見つかったとしたらほとんどの場合は、図鑑よりもずっとずっときれいだし、ずっとずっと瑞々(みずみず)しくて艶(つや)やかなので、ピュシスの素晴らしさに驚くばかり。そこにセンス・オブ・ワンダーの震えがあります。

ピュシスに触れた後にまた図鑑に戻って、「こんな虫もいるんだ」「あんな蝶もいるんだ」と、言葉、ないしはロゴスの世界を映し出す図鑑と、自然としてのピュシスの間を往復しながら自然の豊かさに気がついていく。それがナチュラリストの在り方です。

そのプロセスをたどるうちに、昆虫少年は、図鑑に載っていない新種の虫をピュシスの中から見つけ出して、そこに名前を付け、図鑑に記載する栄誉を授かりたいと夢を描き始めます。

ドリトル先生のモデルとも言われることのある、ウォルター・ロスチャイルド（1868〜1937）の時代は、世界中に捕り子を派遣して、採集させ新しい虫を見つけて名前をつけ続けていました。この時代は、未知の世界への探究と記録に誰もが情熱を燃やす時代でもありました。たとえば、写真が好きな人だと、アルベール・カーン（1860〜1940）の写真集を見たことがあるかもしれません。巨万の富を得た銀行家、カーンがパトロンとなって、世界の各地で当時の風俗の写真を様々なカメラマンに撮影させました。19世紀から20世紀にかけて、「世界を知りたい」という熱狂があったのでしょう。

新種を見つけることは、新種を「書く」、つまり「describe」することです。これもまたロゴスですが、図鑑に載っていない新種の虫を見つけて、フクオカアゲハとかシンイチカミキリとか、そういう命名者になりたいと、少年の頃密かに思っていました。いつも目を皿のようにして何か変わった虫はいないかと探し回っていたのです（実際には、発見者が新種に自分で自分の名をつけることはルール違反であることを後で知りましたが）。

ですが、私は練馬区で育っていたので、そんな新種なんて、そう簡単にいるはずがない。東京オリンピック（昔の）が来るか来ないかの時代、のどかな土地柄だったので、キャベツや大根を植えた畑や、ニワトリを飼っている農家の土地などが多く、自然はたくさんあったものの、さすがに新種はいませんでした。

お茶の水博士に出会う

そんな毎日の中、ある台風の次の日に事件は起きます。

巨木と呼べるほど大きなアオギリという木が強風にあおられて、ばたんと倒れていました。普段手が届かない梢（こずえ）の辺りが目の前に倒れていたので、こういうところにこそ新種が潜んでいるのだ！　と胸躍らせながら、アオギリの樹間を手で探っていたら、木肌に「ぴっ」とエメラルドグリーンの小さな虫が止まっていたのです。

これは!?

当時、私は小学校の4年生ぐらいでしたが、日本の昆虫図鑑をほとんど端から端まで全部読み尽くしているほどで、ほとんどの虫を暗記していました。日本の虫ならだいたいわかるはずなのに、その虫が何であるかがわからない。となると!?

「もしや新種かもしれない」どころか、「とうとう新種を捕まえたのだ」と興奮して、すぐにその虫を手で捕ってガラス瓶に入れ、うちに持ち帰って、もう一度ありとあらゆる図鑑を調べてみたのですが、この虫に似たものは図鑑のどこにも載っていないのでした。

そうなると、次の段階に進むことになります。新種だということを確定したい。そのためにはどうしたらいいのか。シンイチ少年が思い立ったのが、国立科学博物館に行くことでした。

当時の国立科学博物館（以下、科博）は、上野にある本館（現在の日本館）しかなくて、古色蒼然（そうぜん）とした感じでした。現在の科博は、大きな複合施設になっており、充実しています。いまや、本館にはシアターができて、地球の歴史や企画テーマの36

0度大画面映像を流していますし、キュレーションが発達して、楽しめるテーマパークにさえなっています。つくばには別の施設もでき、上野だけではありません。ですが、昭和の国立科学博物館は、本当に「博物館らしい」古ぼけた建物で、エンターテイメント性のかけらもありませんでした。

今もある立派な本館の建物だけしかなかったのです。関東大震災で以前の建物が壊れたため、１９２８年に着工し、１９３１年にオープンしています。いかめしい感じの大理石でできた、手すりや壁が重厚なつくりの建物です。

科博のシンボルと言えるのは、地球の自転を確かめることのできる巨大な「フーコーの振り子」です。吹き抜けの天井から地下1階まで19・5メートルのステンレス線でつり下げられて、約50キロのステンレス製の球がゆらゆらっと揺れています。地球の自転に従ってその地軸が回って振り子がだんだん揺れを大きくしていき、当時は、1時間に1本ずつピンを倒していくという仕掛けで、これは今もLED点灯となり、本館で揺れています。

私が少年だった頃は、博物館そのものがあまり人気がなく、いつも閑散としている印象でした。子どもはみんな屋外で走り回って遊んでいたのかもしれません。これは他の博物館や美術館も同じなのですが、今では当たり前となっている親切なキュレーションがほとんどなく、物を並べているだけなのです。しかも「科学」博物館と言いながら、民族学的な要素も多く、首狩り族がつくった人間の頭やミイラなんかまで置いてありました。それが子ども心に、怖いことと言ったら。同時に、それを見たくてたまらないのでした。

今も覚えているのですが、展示物の一つ、乾燥ミイラは性別でいうと女性だったためか、局部に布が置いてありました。ですが、科学的な対象である標本に対してそんな心遣いをすることは、子ども心にもおかしいなあ、と感じていました。「これが科学なの？」「こんなの干からびているのに」。逆に隠すことでそこに意味が付与されてしまいます。いちおう死体であるはずのその死体性とでもいうものに、生の世界の意味が強調されて、かえってそれが怖い。虫の標本は、といえば標本箱が並べてあるだけ。とはいえ、むしろオタクにとっては、そういう趣向の方が好ましいわけです。下手なキュレーションなんぞない方がいいのです。

さて、科博に行けば何かわかるかもしれないということで、新種と思われる謎の虫を入れた瓶を握りしめて電車に乗って出かけました。学校が休みだったのか放課後だったのか忘れましたが、ひとりで上野駅に無事到着するまでの道のりは、小学4年生にしてはなかなかの冒険です。駅から国立西洋美術館の横を息せき切って走り、入り口にガッと入っていったら、受付のお姉さんが、「どうしましたか」と聞いてくる。まあ、小学4年生の男の子が必死の形相でやって来たら、声をかけますよね。「実は新種の虫を捕ったかもしれないので、何とか調べる方法はありませんか」と一気にまくしたてたら、だいたいが暇なのでしょうか、今では考えられないのですが、お姉さんは電話をかけてくれて、「専門の先生がいて、いまちょうどお時間があるということなので見てくださるそうです」と案内してくれることになったのです。

そのとき初めて、国立科学博物館には、展示スペースだけではなく、その裏側にはバックヤードや研究棟というのがあって、そこにそういう専門の研究者がいるということを知りました。しずしずと廊下を歩いた時のことを今も覚えています。近代的とはとてもいえない古びた建物の廊下に、研究室の小部屋が牢屋（ろうや）みたいに殺風景に並んでいて、それまで大学にさえ行ったことがなかったので、不気味でした。

「どうぞ」と示されたドアを開けて部屋に入ると、そこには何と虫の標本が、ざあっと山ほど積み上げてあるわけです。ぷんとナフタリンの匂（にお）いがして、標本の箱に触れないように狭い、箱の山の隙間（すきま）に体を斜めにして入っていき、そこを抜けた標本の山の向こうにたどりつくと、お茶の水博士みたいな人が現れました。

そのときの私には、それが誰だかはもちろんわかりませんでした。後から知りましたが、それが『世界の蝶』を書いた黒澤先生だったのです。

後になってご本人を知る養老孟司先生に聞いたところ、黒澤先生は素人にも優しい専門家だったそうです。そんな訳のわからない子どもが持ってきた変なものまで、「見てあげましょう」と言ってくれました。私が瓶を差し出したら、虫眼鏡で丁寧に見て、虫はまず採集したシチュエーションが大事です、とのことで、「どこでどう見つけたか」を聞いてくれました。

なるほどと私は、縷々経緯を説明しました。それで、しばらくいろいろ見てくれたのですが、納得したふうに「うん、これは、残念ながら新種ではないと思います」と断定はせずに黒澤先生は語り始めました。「カメムシだと思います」と。今ならわかるのですが、どこにでもいるカメムシを初心者はよく間違えるのです。

というのも、昆虫の生態は、「完全変態」と「不完全変態」とがあり、満員電車にいるヘンタイと違って（よく言われるので先手を打ちます）、蝶など完全変態をするものは、卵、幼虫、蛹、成虫と劇的に変態します。

不完全変態の場合は、それよりも進化段階が1段前にあって、卵から幼体が出ると、それはもう大人の形をしています。バッタやコオロギ、カメムシがこれでして、ただ、皮を脱ぎながら成虫になっていくプロセスが何段階かあるので、その段階ごとに大きさが変わり、色や模様も異なります。私が捕まえたのは、その途中段階のやつで、途中段階の色や形まではさすがに図鑑に出ておらず最終形しか出ていないのでした。これをこのまま飼っていると、よく網戸に止まっている、ありきたりなカメムシになるのです。

「これは残念ながら新種ではありません」と黒澤先生は、ちゃんと鑑別してくださって、「ありがとうございます」と、その場は帰ったものの、新種を見つける夢はついえたとはいえ、私の心は朗らかでした。なぜか？

だってその日、新種発見はなりませんでしたが、もっと重大な発見があったからです。つまり、「昆虫を仕事にしている人がいるという事実」を知ったこと、です。

虫を研究する学者がいるのだ。あの国立科学博物館の奥に！

「こういう職業もあり得るんだな」と気がついたこの日の経験こそ、私が後年、生物学者を目指す大きなきっかけになりました。

リアルな人間の友だちはいなくても

小さいころ、私はとても内向的な少年で、今のことばで言えば完全なオタクで、リアルな人間の友だちがほとんどいませんでした。そう、虫だけが友だちでした。

虫を探究することによって、いろんなことを学んでいきました。いつも家に幼虫を飼って観察していました。蛹になるとき幼虫は食べていた植物から離れて蛹になる場所を探します。団地ですから、油断していると変なところに虫が入りこんだり、もうすぐ蛹になるなと思っていたらいなくなって家中大騒ぎで探したり。やめなさいとか捨てなさいとか口に出すことはなかったけれど、たぶん母は内心では嫌だったと思います。

父は郵政省に勤める公務員で、まったく昆虫には興味なし。なぜ私が虫に興味を持ったのかはわかりません。ただ、もう平成も終わろうという今日この頃、昭和はいまや「昭和の人にとっての明治時代」のように古くなっていますが、昭和の子どもにはそれなりの、ある種の当時の時代性がありました。平成の子どもには平成の時代性がきっとあるのでしょう。

昭和のそれは、戦争が終わって自由が到来した、という時代性です。ペンネームにも入れているくらい虫好きな手塚治虫は、エッセイで本人が書いていますが、虫のことを追い掛けていたら将校にぶん殴られたそうです。そんな経験はせずに、それぞれが好きなことができるのが昭和40年代だったと思うのです。

私たち少年は虫が好きになる、恐竜が好きになる、化石が好きになる、といったナチュラリスト系を志向する少年か、鉄道やプラモデル、モデルガンやラジオ、そういうメカ系が好きになるメカニズム系か、大まかに言えば二つに分化していきました。

インターネットもグーグルもない時代だったので、実際に好きなものができると、実物と出会える場に足を運びます。虫になぜそれほど引き寄せられたのか、私の場合は、色やフォーム、人工的か自然かの違いこそあれ、デザインに対するある種の希求があって吸い寄せられたのだと思います。色や形に魅入られて蝶が好きになったという自覚があります。

思えば、ナチュラリスト系は自然のデザイン、メカニズム系は人間の作り出すデザインへの希求ですね。

具体的に虫を捕るためには、まずその虫が食べる植物を知らないといけません。例えば、アゲハチョウならミカンやサンショウの葉っぱ、キアゲハという違う種類になると、今度はミカンやサンショウには見向きもせずに、不思議なことにパセリやニンジンの葉っぱです。ジャコウアゲハだったら、ウマノスズクサという、河原に生えている蔓（つる）のような植物を食べます。虫は想像できないほどに細やかに、自分の食べ物を禁欲的に限定しているわけです。

「進化論」についてひとこと

食べ物を禁欲的に限定している、ということは、ダーウィン的に言うと、「長い進化の過程でせめぎ合って、異なるものを食べることによって独自のニッチをたまたま見つけた種が生き残った」ということになるのですが、それぞれの種が「棲み分け」ている、と見ることもできるのです。つまり、無益な争いが起きないように、異なる種が互いに退却し合っているという見立てです。

これは今西錦司（１９０２〜１９９２）の「棲み分け理論」です。今西錦司は、いわゆる京都学派の流れをくむ生物学者で、独自の生命観を打ち立てた人物です。丹念なフィールドワークを行い、自然から学ぶということを旨とした生粋のナチュラリストでした。また親分肌で、たくさんの弟子を育てました。たとえば、よくお話をうかがう機会がある山極寿一さん（ゴリラ研究者で、後に京都大学総長）は、今西の孫弟子にあたります。私も京都大学で学んだので、今西錦司は、大先輩にあたります。世代が離れているので、直接、教えを乞うたわけではありませんが、『生物の世界』など、その著書に親しんできました。

今西錦司は、近くの鴨川で、カワゲラ（という水棲昆虫）の生態を調べ、川の流速や深度によって、近似する種間で、巧みな「棲み分け」がなされていることを見出しました。

彼は、ダーウィン流の進化の見方に異議を唱えました。個体間の適応度の差が、自然淘汰によって選択され、進化が成立するというよりは、種をもっと主体的に考えて、自然の成り立ちを捉えようとしました。種全体が、環境に適応して一斉に変化すると考えたのです。ただ、進化の動因について「(種は）変わるべき時が来たら一斉に変わる」といった独特の言い回しを使ったので、理論として支持されず、だんだん等閑に付されるようになってしまいました。

同時に、分子生物学と結びついて、遺伝子の突然変異と自然選択という精密なロジック（すなわちロゴス的生物学）を構築し、大発展したネオ・ダーウィニズムに太刀打ちできなかったのです。

確かに、今西進化論は、論というにはメカニズム的な裏付けを欠いていました。ただ、私は個人的に、今西錦司の生粋のナチュラリストとしてのあり方に親近感を持っています。彼の生命観は、長年にわたる自然観察の結果感得したナチュラリストの直感そのものだった。それはそのとおりなのです。

ナチュラリストは、知識や理論として知る以前に、まず感じるところから自然に接します。自然の美しさ、繊細さ、あるいは奇妙さや脆弱(ぜいじゃく)さに触れる驚きから出発しています。

そういう風に自然と親しむと、ダーウィン的な適応の物語を、自然の成り立ちにあてはめすぎることの恣意(しい)性というか危険性を感じるようになります。

たとえば、ツノゼミという昆虫の頭部に生えている角の形態は、球とトンガリが連結したような、現代アートもかくやというような造形で、岡本太郎でも思いつかないような奇抜さ・斬新(ざんしん)さです。しかも実にさまざまなバリエーションがあります。いったいこれらの形状は、環境に対していかなる有利さがあるのでしょうか。

ダーウィニストたちもさすがにこんな不思議な形質を説明できず「過剰進化」などという名称をつけています。が、進化が過剰に起きると言ってしまっては、何も説明できたことにはなりません。

進化生物学者で、科学エッセイの名手でもあったスティーブン・グールドは、利己的遺伝子論（つまり筋金入りのダーウィニスト）のリチャード・ドーキンスの好敵手でした。グールドは、「サンマルコのスパンドレルとパングロス風のパラダイム」という論考で、生物のあらゆる形質に、適応の物語を当てはめるのは、あとづけのこじつけになりがちだと痛烈に批判しています。

ただし、注意していただきたいのは、これは何もダーウィン進化論を否定しているわけではない、ということです。生命は確実に環境に適応することによって進化してきました。より正確に言えば、環境に適応した変化を遂げた種が生き残ってきました。これは確かなことです。

しかし、それは形態や行動特性が、種全体として環境に適応していたからです。生物が持っている個々の、部分的な形態や特性がいちいちすべて環境に対して合理的に進化したと考えて、そこに個別の適応の物語を持ってくることには注意が必要だということです。生物の特性を部分的に切り出して、その特性に固有の物語をあてはめると人工的な説明に陥ってしまいがちだ、ということです。つまり生命に部分はない、ということです。これもナチュラリスト的直感といえると思います。

今西錦司は、山登りが好きで生涯に、なんと1552座もの山に登頂しました。日本百名山なんか超越しています。それだけありのままの自然に触れることを希求していたわけですが、あるとき、あなたはなぜ山に登るのですか、と問われました。

同じ質問を受けた英国の高名な登山家ジョージ・マロリーは「そこに山があるから」と答えたことは有名ですが、あまりにそっけがありません。ナチュラリスト・今西錦司の答えはふるっていました。「向こうに山が見える。その山に登ったら、また向こうに高い山があった。だから次々と山に登ります」

これは学ぶことの本質を巧まざる表現で言い当てた名言ではないでしょうか。一生懸命、問いの答えを求めてある地点に登っていく。山頂に達したと思ったら、そこからしか見えない新たな視界が開けてくる。人はその視界の向こうにあるものを目指して、また次の一歩を踏み出す。かっこいいですねえ。小なりとは言え、私も同じ京都学派の系譜に連なる者として、今西錦司の孤高を、いつも視界の向こうに仰ぎ見ています。

確かに、突然変異と自然選択によって進化の動因を説明するダーウィニズムは強力な学説です。生物学における唯一(ゆいいつ)の理論と言ってもよい。実際、自然界の多くのことが説明できる。しかしすべてのことが説明できるわけではない。

たとえば、目のような複雑なシステムはどのように進化できたのか。長い長い時間の中で、システムは少しずつ改良され、変化と革新が徐々に蓄積され、ついには高度に複雑化した、と語りうる。しかし、よく考えてみるとこれはなかなか難しいことでもあるのです。目はいくつかのサブシステムの集合体として機能しています。レンズが光を集め、網膜が光を感受し、神経回路がその情報を解読します。ダーウィニズムでは、個々のサブシステムが独自に進化して、やがてそれらが合一されていった、と説明します。膨大な時間さえあれば、盲目の時計職人であっても、ありとあらゆる試行錯誤の末、精巧な時計を完成できるというのです（『ブラインド・ウォッチメイカー』は、リチャード・ドーキンスの著作名）。

でも、目という視覚システムは、レンズと網膜と神経回路がすべてつながってはじめて機能を発揮します。機能を発揮しないかぎり、自然選択のフィルターにかかることはありません。機能がない前段階では有利さは表現されえないのです。ならば、個々のサブシステムは、まだ視覚機能が現れない前段階で、どのように温存されうるのでしょうか。レンズだけあっても、網膜だけあっても、神経回路だけあっても、視覚は視覚たりえないのです。サブシステムはそれ自体では進化のしようがないのです。

これが進化論におけるサブシステム問題です。視覚だけではありません。生命のシステムのあらゆるしくみにサブシステムが関わっています。そしてサブシステムは、あたかも、まだ見ぬ未来の目標に向かって、「主体的」「斉一的」に進化しているようにみえます。でも、ダーウィニズムでは、進化には主体性も、目標も認めないので、このプロセスをうまく説明できません。突然変異に方向はなくランダムにしか起こりえないので、時間だけが味方だということ以外何も言えないのです。

でも、だからといって、今西のように主体性を持ち出しても、これまた見果てぬ幻影を追い求めることになってしまいます。複雑な進化は、もっと解像度の高い言葉で語られなければなりません。そのためには、今まで解明しきれなかった生命のしくみをさらに解像度の高い方法で解析する必要があるのです。

ナチュラリストは、その出発点はセンス・オブ・ワンダーであっても、その歩みは――ちょうど山のピークを極めるように――一歩一歩、高度を稼いでいく必要があるのだと思います。その一歩一歩が解像度ということです。

実際、19世紀後半、ダーウィンが進化論を発表した時代に比べると、私たちが科学を語る言葉の解像度は格段に上昇しています。

遺伝物質としてのDNAだけが情報を伝達する、DNA上の遺伝子コード（塩基配列）の突然変異だけが、次の世代に継承される、というのが正統的なネオ・ダーウィニズムの教義でした。だから、「キリンは高いところの葉っぱを食べようとしてたえず首を伸ばそうとした結果、あんなに首が長くなったのです」というような、ラマルク流の用不用説（必要なものが進化し、不必要なものが退化する）の考え方は否定されています。また、個人（個体）が努力によって手に入れた特性（たとえば、必死に練習してピアノが上達するとか、筋トレをしてマッチョな身体（からだ）になる）は次の世代には継承されません。これまた「獲得形質は遺伝しない」というネオ・ダーウィニズムの中心教義になっています。

ところが最近の生物学研究においては、少なくとも獲得形質の一部は遺伝する可能性がある、という見方が出てきています。これはエピジェネティクスという考え方です。エピとは外側、ジェネティクスは遺伝学です。つまり、DNAの遺伝暗号自体の変化ではなく、DNAを取り巻く周辺状況の変化もまた進化の動因となりえる。しかもその周辺状況は、個体が経験した環境との相互作用の結果が継承されうることを示すデータが次々と現れてきたのです。

周辺状況とは、DNAのメチル化や、DNAを折りたたんでいるタンパク質ヒストンのアセチル化のような化学修飾のことを指しています。DNAが楽譜のようなものだとすると、遺伝暗号は音符です。そしてメチル化やアセチル化は、音符の周囲に書き込まれる演奏記号（フォルテとかスラーとかクレッシェンドとか）のようなものと考えてください。音符の変化は遺伝暗号の突然変異として、音程自体を変えてしまいます。しかし音符の変化はなくとも、演奏記号が書き換われば、音符の演奏表現は変わりえます。これと同じことがDNAにも起こっていると考えられています。演奏記号は個体が経験したプロセスによって書き換わります。だから獲得形質は遺伝しうることになるのです。少なくとも限定的には。

このように、遺伝を取り巻く科学的知見は日進月歩です。その文脈の変化の中で、進化論自体も進化すべきなのです。

いずれにしても、ピュシス志向のナチュラリスト・今西錦司の生命観が、細部はともかく、大きなビジョンとして再評価される日がいつかまた来ることを祈っています。あるいは、そこにもういちど光を当てるのは、私自身がしなければならない仕事かもしれません。

人生に大事なことはすべて虫から学んだ

さてさて話をもとに戻しましょう。昆虫採集の話です。

虫を捕ることを通じて学ぶことは実にたくさんありました。虫捕りはそう簡単ではありません。アゲハチョウの幼虫の食草はミカンやサンショウです。では、ミカンの葉っぱのところに行けばアゲハチョウがいるか？　といえば、多くの場合はいません。なぜいないのでしょう。それはアゲハチョウが飛ぶ経路にはちゃんと法則性があり、また飛ぶ時間にも法則性があるからです。これを知らないとアゲハチョウに出会うことができません。でも、だからといってアゲハチョウは必ずこの法則に従って生活しているわけでもありません。法則はあくまで大まかなルールで、自然はいつも気まぐれで、偶然性に支配されており、しかもいつも一回性の出来事だからです。十中八九、思い通りにはなりません。

だからナチュラリストはおのずと落胆や失敗、期待はずれや見当違いになれっこになっていきます。これは研究者になってからもとても大切な教訓になります。ほとんどの仮説は、間違っており、期待通りの結果にはなりません。でもそれが自然というものだということをナチュラリストはわかっているのです。

意外なほど期待どおりの結果が出て、思い通りにことが進むときほど慎重にならねばいけないことを知っているのです。too good to be true という言葉があります。本当にしては話がうまく行き過ぎだ、という意味です。うまく行き過ぎることの裏にはなにか間違いがあるのではないか。試薬を入れすぎているとか、測定機器がおかしくなっているとか、たまたま出たノイズをシグナルだと信じ込んでいるとか、はたまたインチキが隠されているとか……。too good to be true を鵜呑み（うの）みにするとSTAP細胞みたいなことが起こりえます。ナチュラリストなら耐性があるはずで、まずはほんとうはこういう結果を疑ってかかるところでした。

さて、チョウの飛行に関する研究といえば、日高敏隆さんの本（『チョウはなぜ飛ぶか』）が有名です。チョウが通る道、つまり「チョウ道」を日高さんは発見しました。

日高さんも京都大学で長らく教鞭をとっていました。京都市の山の方にあるお住いにおうかがいしたこともあります。チョウがやってくる大きな庭があり、チョウが好む草や樹木が植えられていました。また、日高さんが少年時代、つけていた昆虫採集日記も拝見しました。いつどこでどんなチョウを採集したか、克明に記録されていました。それはちょうど1945年8月15日をはさんで書かれていました。さすがに敗戦日の前後にはすこしだけ空白の日がありますが、まもなく昆虫採集が再開されています。なにはともあれチョウを追う日々。日高さんも生粋のナチュラリストとして育ったのです。こういうことを知るとうれしくなりますね。

さて日高さんは、長い時間をかけたフィールドワークの結果、一日のうち、アゲハチョウがやって来る時間と方角にある法則があることを見つけました。そしてそれは太陽光線と関係していることを突き止めました。アゲハチョウは光の方角を飛行のナビゲーションに使っているのです。光に対して一定の角度を保ちながら、決まった時間に光の当たっているチョウの道を通ってやって来ます。だからアゲハチョウは晴れた日にしかまず飛んできません。また日当たりのよい、森林の切れ目や山道に沿って飛行してきます。これが「チョウ道」です。慣れてくると地形を見ただけで、「チョウ道」の場所の当たりがつけられるようになりますが、最初はわかりません。

光が一定の角度で来るのは朝の一時期と夕方の一時期です。だからチョウが好んで飛行するのも、その2回ぐらいということになります。真っ昼間に飛んでもいない。卵や幼虫を見つけるにもコツがあります。野山に出かけていくら葉っぱを見つめていても、ぼんやり見ているだけではだめなんです。ロボコップみたいにあるレイヤーにズームインして焦点を合わせないと、なかなか見えない。自然は隠れることを好むのです。

虫を捕るときに「いないなあ」としょぼんとしながら、ふと地面を見ると……おや？ ある場所にだけ糞が落ちているのが目に入ります。あっという間に糞も何もかもすべて地面を片付ける別の虫たちがいるので、新鮮な糞は、一瞬のあいだしか地面にとどまっていません。だから見つけた新鮮な糞の真上には何かがいるはずです。それで、真上の樹上を見ると「あ、幼虫がいる！」とわかります。

不思議なことに、そうやって観て、観て、観て、とにかく観ていると今まで見えなかったものが視界に入ってくる。そして、いったん見え出すと、次々と見えてきます。そうやっていろんなことを学んで、調べて、また行って、落胆して帰ってくるけれど、また諦めずに出かける。そんなことを繰り返すのが昆虫採集なのです。

実はこれって、研究の基本的な姿勢でもあります。だからこう言えます。

人生にとって大事なことはすべて虫から学んだ。

これが私の少年時代です。リアルな人間の友だちは必要ありませんでした。人は孤独な時の方が成長することもあるのです。とはいえ、両親は心配していたと思います。そのせいか、道具があればそれをネタに友だちと遊べるんじゃないか、という趣旨で両親はあるとき顕微鏡を買ってくれました。とはいっても大した顕微鏡ではなく、教育用の安物の顕微鏡でしたが、せっかく買ってくれたので、それで蝶の翅を見たら！　なんと！　そこには驚きのミクロ世界がありました。

翅には、色が塗ってあるわけではなく、鱗粉が1個ずつモザイクタイルのように敷いてあります。拡大して見ると、その色彩豊かなタイルはみごとな小宇宙の中に広がっていました。ますます友だちなんかいらなくなって、親も困っていたような。

どんどんその世界に入っていきまして、これがまたオタクですから、顕微鏡を見ていると、その源流をたどりたくなってしまう。顕微鏡みたいな素晴らしい装置をいったい、いつの時代の、どこの誰がつくり出したのか？　そこに興味を持って調べてみようと思い始めます。もちろん当時は、コンピュータもネット検索もありませんから、調べるとなると本と図書館だけがたよりです。そしてようやく、史上初めて微生物を顕微鏡で見たアントニ・レーウェンフック（１６３２〜１７２３）にたどり着き、ずっと後になってからのことですが、同じオランダの街、デルフトに住み、光を描く極みを成し遂げたフェルメール（１６３２〜１６７５）を追いかけることにもつながりました。人生はわからないものです。

子どもを放っておいてくれる親

私の母は十数年前に亡くなったのですが、母の思い出というのがひとつあります。いつも私は幼虫を飼ったり、行方不明になったのを探したり、大事にしていた蛹をうっかり手でつぶして大泣きしたり……親からしたらめんどうな子どもでした。だいたい普段からして幼虫の糞が部屋のそこら辺に散らばっていて、気持ち悪かったはずです。本当は家で虫を飼うことはやめてほしかったと思うのですが、「捨てなさい」とか「やめなさい」とか一度も言わずに、放っておいてくれました。内心はきっと嫌だったと思いますし、これといってべつに協力もしてくれなかったのですが。ただ、

「何も言わないで見守る」というだけでも、振り返ると大変感謝しています。

いくつの頃だったか、その頃飼っていたアゲハチョウはミカンの葉っぱを食べるので、どこかから供給してこないといけませんでした。お屋敷に住んでいて庭にミカンの木があるわけでもなし、簡単には見つかりません。

どうするかというと、だいたい町内の、いろんな家の生け垣のどこにサンショウがあってどこにミカンがあるかを、通学の経路で調べておき、そこからぱちっと切ってくることになる。そうはいっても、ミカンの枝は結構固くてなかなか折れないのです。サンショウは固い上にとげがありますし。

ある時、ちょっともたついていたら、家の主に見つかってしまいました。「何をしているの」と聞かれて、ぱっと逃げてそのまま手ぶらで帰ってきましたが、家にはお腹(なか)をすかせている子どもたち（アゲハチョウの幼虫）がたくさんいるわけです。困ったなと思い、そのときは母に相談してみました。そうしたら、一緒に行って頼んでみようと言って、そのお家に万引きを謝りに行くみたいに連れて行かれました。親からすればきちんと謝らせることができるし、こういう事情で取ろうとしていたのですと説明しておきたかったのでしょう。最後には、もしよかったら、ちょっとだけ分けてくれませんかと頼んでくれて、翌日から公認で枝を切ってもいいことになりました。

私の夏休みの自由研究は、想像がつくと思いますが、すべてが虫の観察記録です。小学校2年生くらいから毎年「作品」を提出していまして、最初のは「虫の一生」という題でまとめています。大したものではありませんが、蝶の成長過程をつぶさに記録しています。

卵からかえったのが1令幼虫で、2令幼虫へと脱皮する。5令までありまして、それぞれ何日かかって、どれぐらい葉っぱを食べるかをメモ。「ミカンの葉っぱで37枚」などと概算して書きます。その養分を使って蝶になっていくのです。

蛹になってからは、季節によりますが、だいたい10日間で蝶になります。となると蝶になる日が、だいたい予想できる。蝶を飼うことのクライマックスは蛹から蝶が出てくる瞬間なので、それを待ってずっと目を離さず見守るのが毎回楽しみでした。

蝶は、鳥などにやられないように明け方の暗いうちに素早く、ぬれそぼった翅で飛びます。翅の表面に浮いて見える筋はすべて骨組みになっています。この中を体液が循環して、翅がぴっと伸びていくのを見るのが、何よりの驚きでした。とはいえ、悲しいことに小学生だから寝落ちしちゃうのです。はっと気がつくと、もう蝶になって、ぱたぱた部屋のその辺を飛んでいる……。ああ、見逃した、と何度涙をのんだことか。

そうやって、悔し涙とともに、ナチュラリストの種が私の中で育(はぐく)まれていきました。

図書館ワンダーランド

先ほどレーウェンフックとフェルメールの名前を出しましたが、当時はグーグルどころかネットもありませんから、公立の図書館に行って本を調べて初めて、知ることができました。その当時読んだ本で、フェルメールがレーウェンフックの近くに住んでいたということまで知りました。

レーウェンフックのことを教えてくれたのは『微生物の狩人』（ポール・ド・クライフ著、岩波書店）という本です。微生物学に貢献したコッホやパスツールといった人たちの列伝で、その第1章にレーウェンフックが書かれており、顕微鏡でミクロの世界を初めて見た人で、微生物や精子を発見したのだとあります。翻訳が読みにくかった印象があるものの、知りたいことを教えてくれた貴重な本でした。

図書館に行くと、新しい発見が必ずあります。本が置いてある棚は開架式のところだけではなく、実は普段は入れない「書庫」にはすごい量の本がしまわれており、手続きを経ないと入れません。調べてみると、近所にあった小さな公立図書館にも結構大きな書庫がありました。

シンイチ少年は、そんな書庫があることを最初は知りませんでしたが、いろいろ調べていくうちに「これは閉架図書なので、書庫から本を取ってきてあげます」と暗号のようなことを言われます。そのうちに、許可を得ればその書庫に入れるとわかっていきます。それならばと図書館司書さんの後ろを通って、小さな扉から入ります。書庫はだいたい暗くて、何層かに分かれているのですが、本が日に焼けないように窓が少なく、入ったら迷宮です。

でも、そこは図書館ですから本がきちんと分類してある。しかも日本の図書館で多く使われている日本十進分類法に従い、ほぼ全て(すべ)の本には番号が付いて分類が為(な)されているということを学びます。整理、分類と聞くと、これがまたロゴス的にはうれしい。日本十進分類法は、０番台、１００番台、２００番台、３００番台……と分かれていて、自然科学は４００番台、虫は４６０番台か４８０番台か。その番号をたどると、目的地に行けるように道筋ができています。

でも、そんなところには、ほとんど人がいませんでした。その棚にも、その両側にも。だからそこは自分の世界でした。目的地に到着するまでに、いろんな変な本が背表紙で私に声をかけてくる。「関東ローム層」っていったい何なのか？　と何センチもの分厚い本たちがどんどん呼びにくるから、寄り道は尽きることがありません。その道草で、知らず知らずのうちに、生物の世界や環境を学んでいきました。知の探究に寄り道はかかせません。意外な発見、予期せぬ出会いがあります。一発で目的地に飛んで行けるネット検索にはこれがないのです。

図書館は開架式の部分と閉架式の書庫のほかに、もう一つ、貴重書のための小さな部屋があって、そこには美術全集や大きな豪華本があります。だいたい「禁帯出」という赤いシールが貼ってあり借り出せません。その代わりに、その部屋の中でなら見てもいいよ、ということになっています。たまたまあるときに入って、『世界の蝶』と出会えました。すでにご紹介しましたが、本そのものも、いまの印刷技術から見るとそうでもないのですが、当時としては完璧な色です。彩色されたイラストそれぞれを、薄いパラフィン紙でカバーしていて、それが焼けて、紙に色が移るほどになっている。

でも、これは借り出すことはできません。ただし、誰も借りることができないということは、同時に誰かのところに行ってしまうこともなく、誰のものでもありません。私はとにかくうれしくなって通い詰めて、これを端からずっと見ていきました。

この本がどうしても欲しくなりました。新刊を売る本屋さんに聞いたら、これはもう絶版ですと言う。昭和30年代に出た本で、いちいち通し番号が付いているような、まだ検印が押されている時代の本なので絶版です、残念ですねと。

私のメンター、黒澤先生

子どもは大人より根気があってしつこいので、そんなことでは諦めません。どうやったら手に入るかなと、最後のページ、いわゆる奥付で著者を見ました。すると、国立科学博物館の黒澤良彦と書いてありました。ひょっとしたら、これってあの人かな？　とそこで気づきました。そういえば、「あの」お茶の水博士は黒澤先生という名前だったじゃないか。

子どもは行動力もあるのです。シンイチ少年はさっそく、お手紙を黒澤先生に書きます。『世界の蝶』というあの本がどうしても欲しいので、もし先生が著者本をお持ちであれば1冊購入させていただけないでしょうか。なんと図々しいことかと言われると困るのですが、小学生だったのでしょうがありません。

そうしたら、すぐに手紙で返事が来ました。

私のことを覚えていたのかどうかもわからないですし、私自身も「あのときの少年です」と込み入ったことを書いたのかどうかは忘れましたが、覚えていてくださったのかもしれません。

「あの本を楽しんでいただいて大変うれしく思います。しかし、私の手元にも自分のものしかないので、お分けする分はない」のだと。「絶版になってしまっているので、神保町の古本屋にでも行って探してください」と書いてありました。となると、そこで初めて神保町という地名と古本屋街の存在を知るわけです。

古本屋があるなんて知らないし、親にしても神田が古本屋街だというのは知っていても、どこにどんな本屋さんがあるかなんてわかりません。そこで、調べに行ってみようと、学校が休みのときに神保町に行ってみました。

そしたら古本屋だらけ。子どもながらびっくりしました。いったいどこの古本屋にどう行けばいいかわからないけれど、1軒1軒を見ていくと、古本屋にそれぞれ特徴があることに気づきます。歴史書ばかり並べているとか、哲学書ばかり扱っているとか、美術書や図鑑ばかりを売っているとか、いろんな特徴があるというのを学びました。ここにも新しい学びがまたあって、図書館というものの構造を知ったのと同じように神保町や古書店の仕組みを会得（えとく）していったのです。

古本屋に通い詰めているうちに、悠久堂書店だったと思いますが、奥の、番台みたいなところに座るおじさんの後ろの方の高いところに『世界の蝶』がありました。万引き防止のために高価な本はそこにあるのです。

やった！　とうとう見つけた！

と思って、あの『世界の蝶』を見せてくださいと頼んで「いいですよ、どうぞ」と見せてもらいました。確かに『世界の蝶』なのですが、元々の値段が6千円だったから、古本なら3千円ぐらいかと思いきや、古いのだから安いという小学生の安易な予想は鮮やかに裏切られて、なんと4万円。小学生には買えっこありませんでした。

そこで、手に入らない本こそ値段が高くなるとわかってきて、経済の現実を知りました。後々に大人になってから買いましたけど、残念ながら当時は無理でした。

私の人生を変えた人

黒澤先生は、私の新種（ではなかったという）鑑定者であり、『世界の蝶』の著者であり、日本の昆虫学の泰斗（たいと）、大先生であるということを、そうやって知りました。ロゴスとピュシスのはてのまだ見ぬ世界のどこか奥の方にいる人、そして、探究心を持つものには、たとえ小学生であろうときちんと接する大人の存在にも、そこで出会ったのです。私の少年時代の1ページをつくり、同時に次のページを作る原動力を与えてくれた人だと思います。

虫を飼い始めたのは小学1年生ぐらいですが、興味の世界に入り込んでいって、いろんなことがわかってくるのは小学校高学年ごろでしょう。小学3、4年の頃は昆虫に集中していました。これが将棋に向かっていれば奨励会を目指したかもしれません。そのあたりの年齢で、オタクはオタクなりの進むべき大まかな道が決まっていくように感じます。その先は無論簡単ではないにしても。そこで黒澤先生のような存在に出会えたことは私の一生を変えました。その頃に集中して何か自分の好きなことにのめり込むということが子どもを鍛えます。私にとってはそれがすべての原点になっています。

いまの子どもにはその対象が自然であることは少なく、バーチャルの世界になっているようです。その中で育つ子どもたちがどうなるのか、想像がつかないのですが、相変わらず藤井聡太君のような天才少年も出てきますし、時代の流行り廃りは常にあるのでしょう。

とはいえ、昆虫に没頭していられる時期はそう長くはありませんでした。その後、千葉の松戸に住んだこともありましたが、ずっと東京界隈にいまして、中学、高校は公立の学校育ちです。虫に対する情熱はだんだん、虫を捕るだけで終わる環境に満足できなくなり、むしろ、生物学の分野で黒澤先生のような学者、研究者になりたいという気持ちが強くなったことから、興味の対象も変わっていきます。珍しい虫やきれいな虫をただ捕っているだけでは学問は成り立ちません。その意味では黒澤先生のような立ち位置は非常に珍しく、時代背景も含めて幸福な人たちと言えるのかもしれません。その後の生物学は、採集よりも、もっと細胞や遺伝子などミクロな生物の研究が勃興（ぼっこう）してくる時代に変遷（へんせん）していき、お茶の水博士の時代ではなくなりました。私自身も、勉強すればするほど、そっちの方が学問の中心だと感じるようになり、精密な内容になっていく中学、高校の理科を学ぶようになりました。

虫捕り熱は少しずつ、卒業していかざるをえなかったのです。

ヤンバルテナガコガネ伝説

親しい生物学者に話を聞くとやはり、それぞれ「メンター」とでも呼べるような存在の先達を持っているようです。それが私に取っては黒澤先生だったわけです。

黒澤先生をめぐっては、もう一つ面白い話題があります。今では絶版になっている『ヤンバルテナガコガネ』（水沼哲郎著、朝日出版社）という本をご覧いただくとわかります。１９８４年に出ていて、沖縄で見つかったヤンバルテナガコガネという虫の発見伝になっています。今ではすごい値段が付いていまして、私はこれも鳥海書房で買いましたが、さすがいい本を押さえています。これも私は出たときに買えなかった記憶がありますけどね。

それまでに発見されていた日本の最大の甲虫はカブトムシでした。沖縄にもっと大きな甲虫がいるのではないかというわさは１９５０年代からあったものの、米軍がヤンバルの森に相当数入って展開していましたし、ハブが多く生息しているので、なかなか昆虫採集では自由に入れず、未開の地だったわけです。

そういった背景があったのですが、１９６０年代ぐらいには、台湾のテナガコガネ（だと、当初は疑われていました）とは別に「前肢の長い石鹸箱ほどもある大きな甲虫」がいるらしいという話が出てきて、それはいつの間にか「沖縄の黒いテナガコガネ」であると、黒澤先生たちは思われていたようです。

本の冒頭に詳しい発見の歴史が黒澤先生の寄稿で書かれていまして、１９８２年には沖縄本島の道端で胴体だけの死骸が拾われたとあります。どうもこれは未知の虫の背中なんじゃないかと。でも、台湾のテナガコガネとの相違を確認できる部分がその死骸に欠けており、新種だとはその時点ではっきり断定できなかった。そうなって、にわかに沖縄本島北部のヤンバルの森が注目を集めるようになったのです。いろんな人が森に入って、この虫を捕ろうとしたのですが、なかなか捕れませんでした。

この本の著者の水沼さんという人も、もちろんそのひとりです。日本を代表する昆虫オタクで、私も小学生のときから知っています。1949年に愛媛県に生まれた方で、近畿大学の農学部で学んだ後に昆虫採集の世界に入り、「水沼生物研究所」を設立されています。

水沼さんはいろんなところから虫を捕ってきて、ガリ版刷のカタログをつくって売っていました。台湾や東南アジアにも採集によく出かけていて、変わった虫を採集しては何千円とか、虫の稀少性に応じて値段をつけて売っているのですが、それが全部手書きでした。なぜか昆虫少年界では有名な人だったのですね。大人になってもこんなにすごいオタクな人がいるのだな、という独特の人気があったのです。

ただ、こういう昆虫ハンター、あるいは化石ハンターや彗星ハンターというのは、それだけを仕事にしているのではなくて、というよりもそれだけを職業にしていたら生活が成り立たないので、本業が別にあるケースが多い気がします。いちばんよく聞くのは「公務員」と「学校の先生」なのですが、なぜなのでしょうか。

金曜の5時になると、鐘が鳴るのと同時に猛ダッシュで家に帰ってそそくさとどこかに出かけていくイメージです。なぜか公務員や高校の先生に、思いがけない新種発見をした人が数多くいますね。公務員ナチュラリストの系譜、そういう歴史を探究するとおもしろいかもしれません。水沼さんもそういう人だと想像をしているのですが、本当は何をしていらっしゃるのやら。

さて、話を戻しましょう。彼はヤンバルに何回も出かけていくのですが、入ってもなかなか捕れませんでした。なぜ捕れなかったか、今では答えはわかっています。カブトムシの仲間だから夏に行けば捕れると誰もが思っていたのですが、実際は、夏はまだ眠っていて冬にこそ出てくる生態だった。沖縄は暖かいから、冬に羽化して成虫になる生態も成り立つのでしょう。水沼さんはその次の秋、１９８４年の２月にたまたま行ってその気配を捉えて、完璧な標本となる、大型の雌雄合わせて７匹ほどを捕獲することに初めて成功しました。

それを論文にしたのが黒澤先生なので、本の冒頭にも寄稿されているのでしょう。本の最後には、英語の論文が付いています。採集者は水沼さんですが、論文にして新種の記載をしたのが黒澤先生ということになります。一番最初に「これが新種だ」と言うためには、完模式標本というタイプ標本を採集しないといけませんが、それが水沼さんの捕まえた標本なのです。だから、水沼さんに対する言及があります。

水沼さんがヤンバルテナガコガネの完模式標本採集者だというのは昆虫界では知らない人はおらず、だからこそ水沼さんはこの本を書いたのですが、この本には採集地の詳細が細かく出すぎていたために、刊行直後に大勢が見境なく捕りに行って乱獲状態になってしまいました。

そこで、この本は絶版状態になってしまったのです。内容はいたって真面目に丁寧に、どうやって発見に至ったかを書いている良書なのですが、それがあだになってしまった。

ですが、日本にまだこんな大型の昆虫が、と新聞の一面にもなって大きな話題になりました。テナガコガネは立派な腕を持っています。こんなとてつもないものが80年代になって新種として見つかったことを思うと、シンイチ少年はどうしてこういうものが捕まえられなかったのかなと、今となると悔しい気持ちさえ湧いてくるのです。

ナチュラリスト、田淵さん

田淵行男さん（1905〜1989）のことはお話しておかないといけません。私のメンターの一人、田淵さんの『高山蝶』（朋文堂）もまた、私の人生を変えました。

山岳写真家、高山蝶研究家として知られ、多くの写真や資料をご遺族が寄贈したご縁で、長野県の安曇野（あずみの）には記念館もあるようです。とはいっても元々の生まれは鳥取で、その後台湾などを経て東京で高等師範学校まで卒業し、中学校の教師になります。蝶の細密画は子どもの頃から描いていたようです。教師としては、富山に赴任した後、現在の獨協（どっきょう）中学校・高校の前身の学校で博物学を教えていたとか。この時は写真部や生物部の指導をし、山岳部発足に尽力もしていたそうで、なんと贅沢（ぜいたく）なことかと思いますね。

ただ、太平洋戦争で運命は変わり、東京の下町に住んでいたことから疎開（そかい）をすることになるのです。戦後、理科教材の写真撮影や教材作成の仕事を請け負うようになり、その後「アサヒカメラ」などの写真雑誌に写真が掲載されるように。同時に山岳写真や昆虫の写真集も続々刊行されるようになり、１９５９年には生態写真集『高山蝶』の誕生となりました。

読み込んでいくと『高山蝶』には、生態をなんとしてでも読者に伝えようという工夫が垣間（かいま）みえます。例えば、カラー写真を自分で貼り付けている。白黒写真が多いのですが、時にカラー写真が突如出てきます。蝶が順に変態する様子などを例えばコマ送りのように4枚写真が並ぶページに、全ページカラーにすることは予算の都合もあり厳しかったのでしょう、色がつかないと部分を識別できない4枚中1枚だけをカラーにしてあり、しかもその写真が手貼りなのです。手貼りですよ！　結構な数があるので、田淵先生が製本の現場監督までされていたのかもしれません。DNA鑑定したら田淵先生の痕跡(こんせき)が出てきたりして。

何部刷ったのやら、もはや手作りと言っても良さそうです。ご自身で絵を描かれ、デザイナーとしてのセンスもおありでした。奥付にあるロゴは「田淵マーク」と呼びたくなるような、行男の「行」の古い字体で、テントやピッケルなど持ち物にはすべて入っていたようです。文字に独特の風味を出してくれる精興社が活版印刷をしており、写真版については光村原色版印刷所となっており、テキストと写真を別に印刷して合わせたようです。製本は細沼製本所、と奥付にあります。存じ上げませんが、この本の製本は大変だったでしょうね。

著者たちの息遣いがそこかしこに感じられ、造本にまで工夫が凝らされた一冊です。細かい工夫がある名著で、この本自体が密(ひそ)かなメンターとも言えます。私が子どもの頃にすでに買えない値段でして、今はいくらになっているのやら。大人になって最初は別の書店で買ったのですが、鳥海書房さんに行ったら「フクオカさん、状態のいいのがありますよ」と奥から出してきて見せてくれるのですよ。当然欲しくなってしまいますよね。もう持っているのにお節介なことで、コレクションの道というのは奥深すぎて困ったものです。

この本には田淵夫人に献辞が書いてあります。TO MY WIFE, HIDEKO TABUCHI と、英語で冒頭の方にある。すべてを蝶につぎ込んでいらしたので、ご家族も大変だったことと思いますが、素敵ですよね。黒澤先生の『世界の蝶』と並ぶシンイチ少年にとってのバイブルです。

地史の落し子たちに

私が古書店で入手した『あるく みる きく』という子どものための雑誌は、民俗学者の宮本常一（つねいち）が1967年に創刊した雑誌で、1988年まで、近畿日本ツーリスト内の日本観光文化研究所から263冊が月刊で刊行されましたが、1973年8月号で田淵さんを筆頭とした蝶の特集を組んでいます（地域ごとに再編集したものが、2010年に農山漁村文化協会から刊行されています）。ちなみに5千円しました。

田淵さんがお好きなのはタカネヒカゲ（高嶺日陰）という蝶だからでしょう、表紙の色がその蝶の茶色で覆（おお）われています。この蝶は、環境省指定の絶滅危惧（きぐ）種で、北アルプスの一部の高山帯と八ヶ岳にだけ生息しています。翅の表が茶色、裏は岩の地表に溶け込むような模様です。

実は、このタカネヒカゲはずっと生態が謎だったのです。『あるく みる きく』の特集はわかりやすくこれを紹介しています。この蝶は2500メートルの高山帯にしかおらず、常念岳などほんの一地域にしかいません。生息する高山帯まで、歩いて登って5時間は優にかかるそうですから、毎日観察するために田淵さんは安曇野に移り住むことにして、通ったのです。

冬場は雪と氷に閉ざされて、ものすごい風が吹く。風がなくてもあまり長くは飛べない蝶ですが、岩に止まるときは、最初から風をまともに喰らわないように体を横にして倒れて止まる習性です。夏の短い間だけ現れて、少しだけ咲く高山の花の蜜を口にして、生き延びる。

でもその生態は長い間謎に包まれたままでした。田淵さんは、毎日通い、石を一個一個裏返していき、幼虫を発見します。そして気がつくのです。大きさが違うものが大まかに2種あって、どうもそれが「冬を越したもの」と「まだ冬を越していないもの」だとわかってくる。餌がなかなかないのですぐに大きくならないのです。3年でやっと成虫、つまり蝶になるのですが、ひと冬越したかふた冬越したかで、体長が違っていたのです。

その成虫への過程を読者に見せたくて、必要部分をカラーにしたというわけです。ナチュラリストに憧れた昆虫少年はそれを食い入るように見ていました。田淵さんの本が子どもたちに与えたものはほんとうに大きいと思います。

子ども向けのオススメの本や雑誌が巻末に紹介されており、なかなか良いリストです。雑誌では「月刊むし」に「昆虫と自然」で、なるほど「月刊むし」はいまだ健在ですから読めますね。図鑑は保育社と北隆館の一騎打ちですが、北隆館が最も詳しいけれどやや古いので、保育社が「適当かも知れぬ」とあります。書籍では、『虫の惑星〈1〉詐欺師のホタルと蝶のマリリン・モンロー』（ハワード・E・エヴァンズ著、日高敏隆訳、早川書房）、『昆虫群像』（薩摩忠著、三笠書房）、『海をわたる蝶』（日浦勇著、講談社）、『青いケシの国』（キングドン・ウォード著、倉知敬訳、白水社）、『昆虫学への招待』（石井象二郎著、岩波書店）、『昆虫と人間Ⅰ・Ⅱ』（ルーシー・W・クラウセン著、小西正泰・小西正捷訳、みすず書房）、『擬態―自然も嘘をつく』（W・ヴィックラー著、羽田節子訳、平凡社）、『動物のことば』（ティンベルヘン著、渡辺宗孝ほか訳、みすず書房）、『動物にとって社会とはなにか』（日高敏隆著、講談社）、『高山に生きる動物』（トニー・ロング著、石田毅訳、鶴書房）、『どくとるマンボウ昆虫記』（北杜夫著、新潮社）なんてあげられており、いいですね。北杜夫の「どくとるマンボウ」シリーズは私も愛読しました。『昆虫記』は出色です。珍蝶を求めて野山をかけめぐる著者の姿は涙なくして読めません。

戻って、『高山蝶』をしばらく眺めていると、「この地史の落し子たちに安らかな旅をつづけさせねばならぬ」という一文が出てきます。この「落し子」は、悠久の進化史を生き延びてきた地球の落し子たち、つまり高山蝶に安らかな旅を続けさせねばならぬ、という彼の思想を集約させた言葉になっています。地球レベル、昆虫史5億年を背負った言葉で、田淵さんが壮大なロマンを持っていたことが如実にわかります。

田淵さんは蝶の絵をたくさん描いていますが、特徴的なのは、翅の「裏」を描いていることです。普通の蝶の絵は、翅の表の綺麗な紋様を見せますが、翅を畳んだ裏側、と呼んでいいのかわかりませんが、どちらかというと地味な側を描いているのです。図鑑少年的には、綺麗な方を見たいわけですが、それが「表」だなんていうのは人間の勝手な解釈で、本当の表情はこの「裏」と私たちがみなす側にこそある。自然の蝶はこちらを見せているのですから。それが田淵さん、いや田淵先生の教えのような気がして、自然のメッセージとしてそれを受け取らなくてはいけないのだと、少年時代の私はハッと気づいた記憶があります。

そうやってみると、田淵先生の絵は、克明に描かれた裏側に、蝶の胴体から生命が放射状に放たれているような躍動感があって素晴らしい。これはナチュラリストのある種の本能だと思います。ロスチャイルドのような収集家タイプと、自然をありのままに見たいファーブルに代表される本当の意味のナチュラリスト、ものを集めるのではないナチュラリストの系譜を田淵先生には感じます。

つまりここにも、ダーウィンVS今西錦司に似た、ロゴス的ナチュラリストVSピュシス的ナチュラリストの対立的構図が見てとれます。

『世界の蝶』と『高山蝶』。

昆虫関係本の双璧を成す二冊を紹介しました。素晴らしい本に出会うことは、素晴らしいメンターとの出会いにつながっていきます。

日本のナチュラリストの活躍は続いていきます。素晴らしい系譜と歴史があるのに意外に知られていません。少しそれをお話してから、海外に目を向けていきましょう。

第5講　メンターを探す

「博物館」の機能を探る

古色蒼然(そうぜん)とした国立科学博物館ですが、最近は様変わりし、とても綺麗(きれい)で見やすい展示になっています。私が小学生の頃とは、当然ながらまったく違っています。1877年創立以来、452万点を超えるコレクションを持つ、国立で唯一(ゆいいつ)の総合科学博物館です。

国立科学博物館（以下、科博）といえば、ほとんどの人が東京上野の、展示を見られる建物を思い出すかもしれません。この「展示・学習支援」の活動は目立つのですが、実はこれは科博の活動の三本柱の一つに過ぎません。「調査研究」と「標本資料の収集・保管」という、その展示を支えるバックヤードの活動こそが実は大切です。世界の名だたる自然科学系の博物館はみな、研究機能を合わせ持っています。

すでに紹介したロンドンの自然史博物館も同じで、館内敷地には「ダーウィン・センター」という近代的な収蔵庫が最近、2002年と2009年の2段階に分けて設立されていて、調査や保存、そして研究者が来てもいつでも保存標本にアクセスしやすい状況が作られています。繭を模した建築もユニークで訪問者が増えており、憧れの蝶の標本を見るために、私も出かけました（2章）。

さて、日本で最大の自然科学の博物館のバックヤードはどうなっているでしょうか。実は、茨城県つくば市に2011年、別館ができました。秋葉原からつくばエクスプレスに乗って45分、つくばの駅からタクシーで5分ほど（バスもあり）です。

人づてにご紹介いただいたのは昆虫担当の野村周平先生です。守衛室で名前をお伝えすると、さっそく研究室がある総合研究棟に案内をされました。建物は地下1階のある8階建て、動物飼育施設や大型動物標本などが地下にあり、人の出入りがある1階と2階には書庫や多目的室、3階以上には、標本資料、地学、理工、動物研究、とそれぞれの分野の研究室があります。

窓からは、すぐ横の植物研究部棟、奥に筑波技術大学、昭和天皇のコレクションを入れた昭和記念筑波研究資料館が見えます。よく知られた話ですが、今上陛下（現・上皇）はハゼ、昭和天皇はヒドラ、と皇室の方々は代々生物研究にご熱心なのです。皇居の中にも研究ができる場所があり、電子顕微鏡を揃えた研究棟もあると聞きました。桑畑や田んぼもあり、古来の植物を守るための栽培もされていると聞いたことがあります。赤坂御用地の方には、秋篠宮家がカピバラを飼う場所もあるそうです。

その後、すぐ近くの標本タワー（と勝手に命名しました。正式には「自然史標本棟」と言います）へ。全館が標本を保存する高層ビルで、セキュリティも万全です。私たちがお邪魔したのは、そのうちの昆虫標本室です。同じ階にある鳥類標本スペースの向こうにあり、その広さときたら、なかなかのものです。

「黒澤先生」には今も会えるだろうか

野村先生にさっそく話を聞いてみます。最初に伺ったのは、やはり黒澤先生のことでした。

「これは、残念ながら新種ではないと思います」と言ってくださった黒澤先生。こんな人物に出会えた私は幸せでした。その後の私への一歩に繋（つな）がったのですから。とはいえ、今も黒澤先生のような人はいるのでしょうか？

しばし実況中継をいたしましょう。

福岡　黒澤先生は素人にも優しい方だったそうですね。日本の昆虫少年を牽引する存在でもあったとか。

野村　今つくばにあるこの科学博物館の分館は、以前は百人町（東京都新宿区。JR大久保駅のそば）にあったのですが、黒澤先生はそこに時々いらしていたので何度も私自身も話をしましたし、色々な質問をする機会もありました。

背の高いすらっとした方で、晩年はパーキンソン病を患われて杖をついていらしたものの、頭はずっと明晰でいらした。私が科博に入った時に70歳くらいだったと思います。

昆虫学の泰斗として全般をもちろん研究されていましたが、特にタマムシの専門家として世界的な権威で、このつくばの分館には「黒澤コレクション」と呼ばれるタマムシを含むコレクションがあります。専門以外も広く甲虫一般を集めていらしたので、科博のコレクションはこの「黒澤コレクション」が土台になっています。

福岡　日本の昆虫学の礎を築かれたと言っても過言ではないですね。

それにしても、ここ（昆虫標本室）は、広いですね。

野村　スペースは488平米です。昆虫はものが小さいのでかわいいものです。鯨の骨格なんて、1体を入れるのに部屋を一つ取る必要がありますから。こちらはまだまだ収蔵庫は空いているぞ、「さあ来い」という状態です！　というのは冗談ですが、モナ・リザを預かっているルーブル美術館なみに、スペースにゆとりがあります。

以前に百人町にあった時は、ギチギチに詰め込んでこれ以上は増やせない状況でした。２０１２年に引っ越してきてスペースは倍になりました。スペースも広くなり、同時に設備も圧倒的に良くなったのです。百人町には全くなかったのですが、窒素ガスの消火装置もついています。

福岡　え、空気中から酸素を追い出す形で窒素を噴射するのですか。人間は……？

野村　アラームが鳴った時に、もちろんアナウンスはありますが、早く出ないと窒息死してしまいます。

福岡　人間よりも標本が大事（笑）、というわけではないでしょうけれど、基本は標本保存のための設備ですものね。地震に対してはどうですか？

野村　この建物自体が、地下をダンパーにした免震構造になっています。大きな地震が来てもこの建物にいると感じません。２０１１年３月竣工（しゅんこう）でして、東北の大震災の際には、まだ標本は入っていない状態でしたが問題はありませんでした。移って以降も地震はありましたが、感じたことがないくらいです。

（横の机に座って何やら標本を調べている人を紹介して）この方は、以前に研究をされていた方で、未整理の標本のラベル付けをボランティアでしてくださっています。

福岡　そういうボランティアがあってこその標本なのですね。移動棚もハンドルがついた手動で素晴らしい。

野村　海外の博物館だと電動式が多いのですが、ここは地震の多い日本なので、電気が切れても手動で開けられるようにしています。メーカーに頼んでの特注です。そういえば、標本箱は「ドイツ箱」と呼ばれているのですが、ドイツでは使われていないのです。

福岡　え？　虫屋でも知らないことがありそうですね。

野村　開けた時に、断面に凹状と凸状があり、嵌(は)めやすいのをドイツ箱と言っているようです。日本で作った標本箱は印籠箱(いんろうばこ)といい、桐のL字型の組み合わせなのですが、最初にドイツ式と呼んだから、そのままずっとそう呼ばれています。

福岡　専門の業者がいるのですか？

野村　岡山県のバードウイング、小田原の足柄工芸、と良いものを作っているところは結構あります。害虫が入らないようにぴったり閉めたいとなると、開けるのが大変なのです。その開閉をいかにスムーズかつ安定させるか。木材の質や通気性が左右します。完全に密閉すると湿気がこもって、温度差で結露してしまいますし。

収蔵品の基準は何か

概要はわかったものの、万全の体制で保存してくれるこのうらやましい場所におかれるべき対象とは一体なんなのでしょうか。さらに詳しく聞いていきます。

福岡　渡辺聡（あきら）さんという知り合いが、ご自分のコレクションを青山学院大に寄贈したいと、私に申し出てくださったのですが、キリスト教の学校なので資料館は聖書関連のものなどがメインで、お断りするしかありませんでした。渡辺さんが科博で引き取ってくれるかもしれないと喜んでいらした。それはすでに入っていますか？

野村　お住まいが、都内の世田谷区だったので、一度見に行かせていただき、状態も良く資料的価値があるということで、私が車を運転して公用車で引き取りに行きました。蝶や甲虫一般で、科博の持っていない北米の標本や外国のおもしろいもの、つまり学術的価値のあるものが揃っていまして、「その辺で趣味で集めました」というレベルではありませんでした。

収蔵については、すべてを収蔵していたらあっという間にいっぱいになるので、そこが辛(つら)いところです。各地の自治体が引き取るべきなのでしょうけれど、もうぎちぎちに埋まっています。集めたご本人が亡(な)くなられてご遺族が、ということも多いですね。見に行く時点で、ある程度の脈があるかを確認しています。

福岡　寄贈したい方は多いでしょうね。本人は嬉(うれ)しく集めていても、遺族からしたらガラクタ、とはよく聞きます。一生懸命集めていた時代の感覚とはちがいますね、お金にも簡単にはならないでしょうし。維持管理も、温度や湿度の問題もあり、手がかかりますよね。

野村　管理を怠るとすぐに害虫がつきますし。

福岡　虫の敵は虫でもある。

野村　管理の仕方がわからないと1年で粉になります。標本の棚については、移転計画をしていた時の所属長が設計をしました。棚は全(すべ)て特注です。ラベルの色で分類したり、特に決まりはないのですができる限りパッと見て判断できるように工夫しています。

世界にひとつだけ

福岡　今も、コレクターが新種を見つけてくるということはありますか？

野村　もちろんありますが、昔はアマチュアでも論文を自分で書きましたが、最近は研究機関に所属していないと情報自体が取れないので、ハードルが高くなったと思います。現実的にはアマチュアの人が捕ってきた新種を、我々のようなプロフェッショナルが共著にして論文にまとめることが望ましい。

福岡　共著でクレジットしておけば、アマチュアの人の名前が出るわけですね。

タイプ標本はわかるようになっているのですか？

野村　基本的にタイプ標本についてはデータベース化しています。収蔵品については、S-Net（サイエンスミュージアムネットのこと。全国の自然史系博物館の標本情報が検索できる）というシステムで検索できますよ。

福岡　ヤンバルテナガコガネもありますか？

野村　もちろん、こちらです。

と、見せていただいたヤンバルテナガコガネのタイプ標本にはさすがに胸が躍りました。まずその大きさに驚かされます。写真で何度も見ているのに、現物を見るとやはり違う。

新種の虫が見つかると、「これがその虫です」という現物をひとつ、博物館に収めます。例えばこのヤンバルテナガコガネは、4章でも触れた通り、私の目の前の「タイプ標本」が「ヤンバルテナガコガネ種」の基本の素材として論文が書かれ、その発表後に「ヤンバルテナガコガネ」という名称が流布して行く。つまり、論文という通行手形で、学会という誰もがアクセスできる場に登録しておくと、新種の現物と論文執筆者とその内容の情報に誰でもアクセスできるというわけです。

新種の名称はこの時に認知されます。つまり、この世界にひとつしかない、名詞の根拠となるタイプ標本が消えたら、名詞は失われてしまう。重さや長さの単位を決めるメートル原器やキログラム原器のような基準物なのです。博物館はその意味で、お金には換算できない、知の集積地です。

野村さんは、火災にやられて、大切な標本を抱いて逃げる夢を何度も見たのではないでしょうか。中東の戦火から逃れた死海文書のような稀有な例もありますが、火事は保存する側からすると悪夢そのもの。免震・耐火構造で燻蒸を完璧にでき、大きな標本箱が３０００は入るというあの収蔵庫にこれから、日本の科学知が入っていくのだと思うと嬉しくなります。

この「これからまだまだ入る」という余裕が博物館にとっては大事です。無限に世界中のものは増えて行く可能性があるわけですから（厳密には無限ではありませんが、昆虫はまだまだ全貌が見えていないというのが現状ですから、ほぼ無限と言っていいでしょう）。

今の日本には、そういう場自体があまりないでしょう。近代以降の公文書でさえ、どこに置くかを議論して大変なくらいです。大体が、以前の百人町の建物は、新宿の飲み屋街の中に、区役所か区立図書館みたいな感じでせせこましく建っていました。昔は学生運動の街で、騒乱があったような場所です。なぜあそこにあったのやら。つくばに新しくこういう場所ができたのは、「標本よ、ドンと来い。新種をどんどん見つけてみんなで共有しよう」と声明を出しているようなものです。場ができると確実に研究の活性化を生んでいくと思います。

昆虫標本責任者は蝶捕り名人

最後にこっそりと教えてくれたのですが、野村さんは、ご自分で1年前に仏領ギアナに行って蝶を捕ってきたそうです。その標本を見せてもらいました。なんとそこにはずらりと太陽蝶（タイヨウモルフォ）が並んでいるではありませんか。すばらしい。昆虫少年の憧れといえば――正確に言えば私の憧れかもしれませんが――決まってあがるのが、東南アジアの美麗なトリバネアゲハという蝶か、野村さんが仏領ギアナで捕ったこの太陽蝶なのです。どちらも普通は図鑑でしか見ることができないもので、自分の捕虫網で捕えるなんてことはまずどんな昆虫好きな人でも見果てぬ夢だと思います。

虫屋として有名な養老先生は30代〜50代前半の頃はやはり多忙で虫捕りはしていなかったそうです。引退後の今は楽しく捕られていますが、養老先生のようにだってなかなかできないでしょうし、日本一の昆虫標本コレクションを見守りながら研究を進める野村さんのような例は、ナチュラリストの理想像かもしれません。

何しろ、黒澤先生の衣鉢（いはつ）を継ぐ稀有な存在です。世知辛くなった現在、やれ文学部の哲学科をなくせだの、やれ世間に役立たないことはだめだ、というような風潮がありますが、基礎研究よりも応用研究にお金をかけようという理科系の動きもありますが、石を積み上げていくがごとき博物学的な研究は、その対極にあると言えるかもしれません。

それでも、新種を記述するということは、世界を言葉に替えて思考の俎上に載せる、ロゴスという人間の知の営みの基本です。昔は、神様が作ったものを愛でる意味もあったことでしょう。新種を記すのは知の基礎作りのためなのです。

例えば、野村先生のご専門のハネカクシは、害虫でも益虫でもなく、研究がすぐに社会に役立つとは言いがたい。でもそれは、人間側が勝手に役立つかどうかを決めつけているだけであって、5億年前からいる昆虫からしたら、勝手に断定される覚えはない。日本だけで3万種以上が生き残っているということは、まさに昆虫は最も成功した生物であることの結果です。それだけありとあらゆる環境に適応して生存してきたわけで、記述して行くことには意味があると思います。

すぐに役立つわけではありませんが、そういうことに税金の投入を許すことが文化国家として大事なことです。国立科学博物館が税金で運営されていることは成熟した文明国の証、たいへん喜ばしいことだと私は思っています。

メンターの存在

野村先生は、バイオミメティクス（生物模倣技術、または生物規範工学のこと）の研究材料を集める名目で、科研費で海を渡り、採集を行ったそうな。
そもそも、普通の少年は、私のようにミーハーですから、ついふらふらと人気者の蝶なんぞ追ってしまうものなのに、「僕はハネカクシで行こう」と、佐賀県の高校生、野村少年はその時点で孤高の道を選んだそうで、そこがえらい。そばに知恵を授けてくれる大人がいたのかと聞いてみたところ、地元で昆虫同好会があり、そこにいろいろなことを教えてくれるメンターがいらしたようです。やはりメンターをお持ちでした。

大事なのは、この「メンター」にいかに現れてもらうかということです。佐賀県の高校生の野村先生に地域の昆虫サークルや虫捕りの仲間がいたように、私が黒澤先生やドリトル先生に出会ったように。この後紹介するナチュラリストたちもそうでした。研究はひとりで何かを成しうることはありません。

私は物語の中ではドリトル先生に出会い、現実では黒澤先生みたいな人にも触れることができましたが、実際に黒澤先生が何くれとなく教えてくれたわけではなく、そういう人がいるというロールモデルを教わっただけです。本一冊でもメンターになりうるともすでに書きました。

メンターというのは、親や学校の先生などとの垂直の関係ではなく、斜めの関係から現れる大人を指したいと思います。仲間として遇してくれて、決して子ども扱いしないという公平な大人、そういう誰かと出会うことで少年は大人になり、ナチュラリストの道を歩むターニングポイントをつかめるのです。

私が訪ねたナチュラリストは、そういう共通点をみんな持っています。そこにはなにか軸が通っているようです。

フタバスズキリュウの奇跡

上野の科博、本館に戻りましょう。

フーコーの振り子を見ながら階段をのぼり、日本館3階にあがると恐竜や化石のコーナーがあります。なんと、天井から吊るされているのは首長竜の一種、フタバスズキリュウの美しい全身複製骨格です。実物化石は首の一部以外はほぼ全て見つかっており、これだけ綺麗な形で残っているのはとても、とても珍しい。

これを福島県いわき市で発見したのは、地元の高校2年生、鈴木直少年でした。

もともと小学校時代は、SF小説が大好きで、同好会に入っていたとも聞きます。科学図鑑を買ってもらい化石に興味を持つようになりました。阿武隈山地について書かれた本で福島県には化石の産地がいろいろあると知って、大久川の上流に中学生の頃に出かけるようになり、アンモナイトなどを見つけるようになったとか。それに取り憑かれて、週末になると2時間くらい自転車を漕いで、「露頭」(地層が地表に露出しているところ)に行って、最初は貝の化石、次に古代生物の歯の化石、と見つけては大喜びしていたようです。ある時は、サメの歯の化石を発見し、大興奮したそうです。もともと素質があって化石を見つけるナチュラリストの目を持っていたのだろうと容易に想像できます。

福島県双葉郡富岡町から茨城県日立市にかけての一帯は、戦争のための石炭掘削の地質調査が戦前に行われ、断層の位置や河岸段丘に何紀の地層があるかといったことが把握されていました。古生物学者はこの辺りを「双葉層群」と名付けています。

鈴木少年は中学2年生の時にそのことを知り、独自に探求を進めて行きます。高校入学後もその熱はおさまらず、古生物学や地質学の専門書ばかり読んでいたとか。アンモナイトや鯨の化石が出る地域なので「平地学同好会」というのがあり、そこに入って高校の先生などメンバーから手ほどきを受けていたようです。

また、地元の資料館では、昭和初期に発見されていた首長竜の断片に関する論文を読み、日本地質学会誌に双葉層群のことを書いていた科博の小畠郁生さんに、直接手紙を出してやりとりをしていたそうです。高校生とはいえ、ひとつなにかに専門的に突出すると、いつのまにかメンターに出会ってしまう、そんな風にも読み取れます。

その時に、とは言っても、実はもうだいぶ前の話で、1960年代のことです。小さい頃からよく川遊びに出かけていた叔母さんの家のそばの大久川沿いを歩いていた時、ある地層をじっと見ていたら、まるい何かが埋まっていた。そこで、「あれ？これは見たことがないぞ」と思った。

鈴木少年がすごいと私が思うのは、そこで掘るのをやめたことです。化石というのは、映画『ジュラシック・パーク』のごとく砂を掘ったらパラパラッと簡単に出てくるものではないのです。上にまた別の地層が上書きで重なっているため、下手に掘ると周りの地層が崩れて化石を壊してしまう可能性があります。「これはどれくらいの大きさなのかわからないぞ」と慎重に考えて自分で掘るのはやめて、国立科学博物館に連絡をしました。そこにまた科博が出てくるのです。

連絡を受けた小畠さんという科博の古生物学者、この人がまたすごいのです。すでにやりとりがあったことも関係していると思いますが、少年の通報を子ども扱いで終わらせずにわざわざ見に行った。すると、確かにすごい化石が埋まっている可能性が出てきた。巨大爬虫類（はちゅうるい）の断面である可能性が高い。骨がこんなに大きいということは全体が相当な大きさとなる。と、わかってきて、全体が道路にもハミだしてしまうので、自治体と交渉してその道路の部分を保全して、丁寧に切り出して行きます。

結果として、素晴らしい、ぐるりと頭骨も含めてほとんど一頭の全長7メートルの海竜の巨大な化石が出てきました。日本で初めての大発見でした。双葉層群という地層と、鈴木少年が見つけたことから、「フタバスズキリュウ」と名付けられ、上野の国立科学博物館の日本館3階の天井からぶら下がって、今も私たちを迎えてくれます。

大伽藍(がらん)を支える一本の釘(くぎ)

こうして、日本のナチュラリストの系譜は、国立科学博物館に繋がることが多くあります。加えるなら、有名な話ですが、1943〜1945年に北海道に、噴火により昭和新山が誕生した時に、戦時中で学者が来られなかったので、日々きちんと記録した地元の郵便局長がいました。これは科博が関係していない例ですが、いずれも多くの発見のきっかけは、アマチュアの熱意が科学の芽となっていることです。ヤンバルテナガコガネだってそう、フタバスズキリュウだってそう、専門家でなくとも世紀の発見をする「観察者の系譜」があるのかもしれません。

鈴木少年はその後、発掘調査の手伝いをした縁でいわき市教育文化事業団の職員となり、最近までいわき市のアンモナイトセンターの学芸員として勤め上げました。古生物学会では、有名人の一人です。

実は、若い頃に私はこの鈴木さんの講演をうかがったことがあります。訥々と語って行かれるのですが、語り口が面白く夢中で聴き入りました。講演会の最後に、与謝野晶子の歌「劫初より 作りいとなむ 殿堂に われも黄金の釘一つ打つ」を引いていたのをよく覚えています。これは「自分の仕事というのは大伽藍の一箇所に釘を打ったようなものでしかないけれど、その釘は、日本の文学史という大伽藍の一部になっている」というもの。鈴木さんも続けて言うのです。「我もまた 打つ」と。かっこいいのです。自分の発見も古生物学や恐竜学の大伽藍につながっている、と。それがすばらしくてその講演の景色をよく覚えています。とはいっても、大発見なので釘一本どころではありません。

日本のナチュラリストの系譜は、アマチュアリズムから成り立っている、と書きました。ですがそれは、そのアマチュアを支え、耳を傾けてくれるプロがいるからです。プロも、もとはアマチュア少年だったはずです。その意味でも、メンターは重要なのです。

恐竜学者に出会って

フタバスズキリュウのつながりで、恐竜学者の真鍋真（まなべまこと）先生とも知遇を得ました。現在は、国立科学博物館の標本資料センターのコレクションディレクターとして、国の内外で多忙な毎日を送られています。何を隠そう、私のあこがれの絵本、バージニア・リー・バートンの『せいめいのれきし』の改訂版の監修をされた方です（恐竜の部分など最新の知見を取り入れて2015年に改訂されました）。

はっきり言って、うらやましい！

私はなぜ恐竜学の道へ進まなかったのかと悔やむほどです。恐竜学者は圧倒的に人気があり、狭き門なので十中八九無理だったのですが、それはさておき……。何しろ、科博でフタバスズキリュウの部屋を担当しているのは真鍋先生です。アメリカとイギリスで学ばれ、映画『ジュラシック・パーク』の原作となった同名の小説をマイケル・クライトンが執筆する際に取材した先の一つは、真鍋先生の恩師や研究室だったそうです。また、SF作家、星新一ファンなら誰でも知っている、星作品の緻密（ちみつ）で繊細な装画の多くを描き、星さんと名コンビと称された画家、真鍋博さんはご尊父です。

幅広い知識をお持ちで、色々と教えを乞う機会が最近増えています。

その真鍋先生が、科博の昆虫担当の同僚として紹介してくださったのが、野村周平先生でした。すでにご紹介した通り、首尾よく取材ができたことにすっかり気を良くして、私はさらに真鍋先生にお願い事をしてみることにします。

真鍋先生に、図々しくもこんなメールを送りました。

ニューヨークの古物商から買ったサメの歯の化石があります。真贋を知りたいのですが、どなたかご紹介いただけないでしょうか？

真鍋先生は、ご自身も絵本や小説をよく読んでいたとか、お話しているとサイエンスだけではなく文学的な話題も延々と続きます。ご尊父がSF的な未来に行くなら自分は真逆の過去に遡ってやろう、と、恐竜学者を目指したのだそうで、語り口のやわらかい聡明な方です。そして、現代の黒澤先生と言えるかもしれません。私の無茶振りにも笑顔を絶やさずに「この人にご相談ください」と紹介してくださったのが、宮田真也先生でした。さて、向かう先はどこでしょうか。

大石化石ギャラリーへ

はい、向かったのは、都心のど真ん中、麹町駅からすぐの、城西大学の大石化石ギャラリーです。交通の便がよく、足を運びやすい場所です。

同じ学校法人に所属するふたつの大学、城西大学は埼玉、城西国際大学が千葉にキャンパスがあるそうで、学生の都心回帰の流れの中で、2006年に麹町に1号棟を作り、すぐ横にも建物をつくる際に、一般に開放するようなスペースを考えはじめたとか。東京国立博物館の『写楽』展に貸し出すほど充実した、学校法人所有の浮世絵コレクションを持つ、小さな美術館施設がすでにあったのと、千葉県のかずさDNA研究所長（当時）の大石道夫先生が個人的に買い集めていた、貴重な化石を含むコレクションをご寄託されるという話になったのが、この「学校法人城西大学 水田記念博物館 大石化石ギャラリー」設立のきっかけです。大石先生の専門は分子生物学ですが、ご尊父が、大石三郎先生という北海道大学の植物化石の大家だったため、自らの専門分野ではないものの、化石を集め始めたそうです。

2013年4月に開館した当初の学芸員は、福井県立恐竜博物館に在籍しているアンモナイトが専門の中田健太郎さんで、その彼がいわきのアンモナイトセンターに異動することになって（フタバスズキリュウのあの鈴木直さんが定年退職した影響と思われ、そのつながりに驚きました）推挙があり、30代の宮田真也先生（魚類化石が専門）が後任になったそうです。

まず見せていただいたのは、世界に2個体しかないワニの絶滅種の全身骨格化石です。現存する2体のうち、ひとつは「どこかに行っちゃった」そうで、ますます学術的に重要になってきたとか。全身が残っていて状態が良いことも重要だそうです。2016年に新種のシーラカンス化石として報告された「ワイティア　オオイシイ」のホロタイプも学術的に重要な標本です。他にもコレクションは、ブラジルやレバノンで採集された約1億年前の白亜紀化石が多く展示されており、特に魚類化石が多く含まれます。

大学附設で一般公開をしているため、「化石割り体験」や定期的なワークショップなど教育活動にも熱心で、そのせいか小学生の訪問も多いとか。まだ30代とお若い宮田先生ですが子どもたちに人気で、テレビやラジオにも出演されていました。最も印象深かったのはカナダのロイヤル・ティレル古生物学博物館（世界三大恐竜博物館のひとつです）を訪問する旅で、ご本人にとっても貴重な体験だったようです。宮田さんに、まずは展示物のことから説明してもらいました。

宮田　このワニ化石（年代は前期白亜紀で大きさは100センチ×80センチほどの化石標本）ですが、見ていただきたいのが鼻の穴の位置なのです。現生の水棲ワニの頭は鼻の穴が上についていますが、このワニの化石は横についているから、あまり水中からの呼吸には適さないかたちをしている、これがまず一つ特徴として挙げられます。

ワニはどうやって泳ぐかといえば、犬かきみたいに手を使うというより、実際は尻尾を使います。となると、泳ぐワニにしては、尻尾が非常に短くて太いということも挙げられます。

神奈川県立生命の星・地球博物館の学芸員さんが指摘してくださったのですが、基本的に、足が長すぎると泳ぐときに邪魔になるので、現生のワニはそんなに足が長くありません。わかりやすい後ろ足を見ると長くて、この子（ワニの化石のこと）が泳ぎがそんなに達者ではなかったのではないかと言う人もいます。

サメの歯の化石を「鑑定」してもらう

さて、そろそろニューヨークで入手したサメの歯の化石を出すことにしましょう。

事情は説明してあります。

福岡　これなんですが……。

宮田　きれいな、良いものですね。これは「カルカロドン・メガロドン」でよいかと思います。

福岡　カルカロドン・メガロドン。カルカロドン・メガロドン。なるほど。すみません、繰り返してしまって。

宮田　いえ。研究者によっては「カルカロクレス・メガロドン」とも言います。さて、まず私は大まかに形を見ます。特に、この歯の場合だと特徴はサイズが大きいことですね。推定体長は10メートル以上、新第三紀（2300万年前から260万年前にかけての地質時代のひとつ）、クジラなどの海棲哺乳類（ほにゅうるい）を食べていたと考えられています。鋸歯（きょし）（英語で serration）がほとんど同じであまり差がありません。しかも、歯に対して鋸歯が粗くなく、非常にきめ細かいです。

福岡　サメの大きさは、歯の位置にもよると思いますけれども、どういうふうに算定するのですか。

宮田　比率などを計測します。本種の場合、一時期は18メートルくらいにはなったのではないかと言われましたが、あまりにも単純にホオジロザメの体長と歯の関係を当てはめすぎているので、いまではだいたい12メートルくらいが妥当ではないかと言われています。

当時はクジラやイルカが繁栄した時代なので、それを獲物(えもの)にするには、食べる側もそれだけ大きくないといけません。ただし、小さいホオジロザメにのちにニッチを奪われたのは、大きいと動きが鈍くなってしまうからです。

正確にはこれを「カルカロドン・メガロドン」、ないしは、カルカロクレス・メガロドン」と呼ぶべきなのですが、この「カルカロドン・メガロドン、ないしは、カルカロクレス・メガロドン」のもうひとつの特徴は、歯頸帯(しけいたい)と呼ばれるこの化石の場合黒い部分があり、それが非常に発達しているということです。なお、化石の色は、特に化石を同定する上ではほとんど意味はなく、どちらかというと、化石が出てくる地質環境によって変わってくるので、出てきた産地や層準の手掛かりになることがあります。この色だと、アメリカのノースカロライナで出てきたものかなと推測しています。ラベルがない場合には、化石の質感で、産地をある程度推定することもあります。

福岡先生のメガロドンの歯がどの辺だったかといえば、おそらく前ではなく側面でしょう。サメの歯は口の中にぎっしりと何列もの予備の替え歯があります。サメというのは定期的に歯が生え替わり、しかも硬い。だから化石としては残りやすい類(たぐい)です。サメは、多いものだと、生涯に6万本以上の歯が生え替わるのです。水族館に行くと、水槽にサメの歯がポロポロ、ポロポロ、落ちていることがあります。

水分をグリセリンに置換させた、現生サメ類の顎(あご)の標本を見てみましょう。これなら、ホルマリンみたいに触れないわけではないので手に取って見られます。予備の歯がびっしりと何列にもなっていますね。これはマニアさんからもらったやつなのです。マニアさんでこういうのをつくる人が銚子の方にいらっしゃいます。銚子だと時折、サメも実際に水揚げされてくるので、それを漁師さんからいただいて作ると聞きました。

化石の世界はコレクターや愛好家が相当多いです。逆に言えば、私みたいな古生物をやる者は、コレクターさんとコンビを組んで研究を進めることもあります。たとえばこちらは、岐阜のとあるコレクターの方からのものです。むしろ、下手な学者よりも地元のマニアさんの方がよくわかっていることもあります。自分で採集する人は、あまり顔が知られると動きにくいそうで、表に出てきませんけれども。

化石鑑定団に聞く

持参した「カルカロドン・メガロドン」はどういった背景のものなのでしょう。まずは年代から、カルカロクレス・メガロドン、ないしは、カルカロクレス・メガロドン、詳しく聞いてみましょう。

宮田　年代でいうと、1千万年前くらいです。

福岡　そのころ、日本の周辺で悠々と泳いでいたものもいますか？

宮田　はい。茨城や埼玉などでも見つかっており、各地にいました。

福岡　これで、おいくらの値段をつけますか。『なんでも鑑定団』になっていますが。

宮田　そうですね、まちがいなく、万単位にはなります。3……4……5。はい、5万円は出さないと、買えないでしょう。ミネラルショーでもそれなりの値段がつくと思います。

福岡　あ、ミネラルショーには私もよく行きます（各地で開催される鉱物や化石、宝石、天然石などの展示即売会。東京で6月と12月に開催されるものが日本最大。世界最大のものは、アメリカ、アリゾナ州のツーソンで行われる）。普段はどこで買うのですか？

宮田　貧乏研究者ですから、ミネラルショーで手が出ないとたいがいはネットで買っています。つい昨日も、ネットオークションで魚の化石を3つほど落としました。1個2千円とか3千円くらいなので。今手にしている魚類化石もヤフオクです。

福岡　現物を見なくても大丈夫なんですか？

宮田　いえ。やはり見た方がいいと思います。何回か変なものを買わされました。

　私が魚類の化石をメインに集めているのは、見栄え(みば)が美しいということもありますが、脊椎(せきつい)動物では魚がいちばん全身骨格が見つかりやすいからです。恐竜だと、指先1本とか歯とか、どうしても部分的になりますので。

福岡　ちなみに、これが5万円くらいするというのはうれしいんです。ニューヨークの古物商から買ったのですが、そこはコインや切手を扱うところで、おじさんはそちらのことはよく知っているのだけど標本や化石のことはあまり知らなくて。「これ、何？」と聞いたら「何か化石だって」と。もう1個あるぞと言われて「二つでいくら」という話になり、結果200ドルでした。

宮田　これ二つで200ドルは、安いです。お買い得でしたね。

「恐竜倶楽部（クラブ）」なる秘密結社!?

宮田さん、伝えてくれようとするその姿勢が一生懸命です。気になるのは、なぜ化石に興味を持ったのか？　またまた実況中継でお送りします。

宮田　「恐竜倶楽部」という、恐竜を愛する人のための親睦（しんぼく）団体があります。参加資格は恐竜が好きということだけ。いま、会員数がおおよそ400人くらいで、1988年に発足、30周年を迎えました。小学生からご老人の方や、プロからアマチュアまで、いろんな会員がいます。月に一度集まったり、メーリングリストで情報を流したり、会報を発行したり、年末に忘年会を開いたり、とそれぞれの恐竜関連の活動もフォローできるので、いろんな情報が入って来るのです。

もともと恐竜が好きで、私も含め何人かの倶楽部員は小学生の頃から活動しており、大人に交じって化石採集をしに出かけていました。現在、化石を研究している人でも、恐竜がきっかけとなった人が多いようです。

福岡　虫には興味がなかったんですか。蝶とか、カブトムシとか。

宮田　実は、幼稚園のころはサメに興味がありました。

福岡　サメでしたか。

宮田　ただ、小学校のころ恐竜のおもちゃを買ってもらったときに、「大昔にはこんなにすごい生き物がいたんだ」「こんな面白いかたちのものがいたんだ」と惹かれてしまって。以来、将来はこういうのを研究する人になりたいと思っていました。「サメ→恐竜→魚の化石」と来ていますね。研究対象を恐竜ではなく魚にした理由は、研究者として考えると、恐竜の研究を日本で行う場合、サンプルが限られてしまうからです。

福岡　宮田さんのような方はどちらの学部になるのでしょう？

宮田　普通は理学部になります。私の場合は、教育学部理学科地球科学専修です。大学院からは長いですけど創造理工学研究科、地球・環境資源理工学専攻、要するに、母校の場合は資源系の大学院に含まれます。

福岡　宮田さんの故郷はどちらですか。

宮田　実は私は、長崎生まれの埼玉育ちです。幼稚園の頃、映画の『ジョーズ』を見て、やはり流線型のサメに興味を示しました。

福岡　やはり流線型？

宮田　何しろ当時は、流線型の新幹線が好きだったので「あれがいい！」とサメ好きになりました。

福岡　やはりデザインに対する希求ですね。博物学は一種のアマチュアリズムで成り立つところがありますよね。面白いからわっと一時期だけ寄ってくる人もいますが、環境を大事に保護しながら、採集・発掘をした人たちの努力を活かすぞという人たちもいますね。

宮田　いらっしゃいますね。たとえば、私が知っているところでは、「なにわホネホネ団」さんという団体があります。骨好きな人が、例えば路上で轢かれて死んだ動物や、動物園で亡くなった動物を引き取って、大阪市立自然史博物館を拠点にして剝製や標本をつくっているのです。そういう人たちが、ＩＮＡＸ（現ＬＩＸＩＬ）ギャラリーで２００５年〜２００６年に展示し、その内容をまとめた『小さな骨の動物園』という本（ＩＮＡＸ出版、２００５年）もあります。

福岡　野生動物が車に轢かれてしまう事故は多いですよね。

宮田　そういう場合は、貴重な標本として採集するため、大阪市立自然史博物館（ないしは地元の自然史系博物館）に連絡を！　とホームページにもあります。博物館の人も関わって、活動をされているようです。

福岡　初めて知りましたが、自治体や公的な機関ができないことを補完する形で行う、大事な活動ですね。ナチュラリストの基盤はアマチュアのあくなき情熱によって支えられていると言えます。アマチュア万歳です。

第6講　博物学の本場、イギリスへ

イギリスの強さはどこにあるのか

『世界の蝶』にいったん戻りましょう。何度もしつこいのですが、アレクサンドラトリバネアゲハのページに、ロスチャイルド、北東ニューギニア、と記載があります。この本を読んだ時から、私の目線はイギリスに向いていました。

他にもイギリス人学者「ウォーレス」や「ベイツ」の名前がたくさん出てきます。ウォーレスやベイツは、二人ともダーウィンに近い時代の博物学のパイオニアたちで、彼らは実際に東南アジアやアマゾンなどに何年も住んで蝶を採集した人です。また彼らは毒蝶とそうでない蝶の類似を調べて、擬態の研究を行いました。

重要な人たちなのでもう少し説明をしておくと、アルフレッド・ラッセル・ウォーレス（1823〜1913）は、南米のアマゾンやマレー諸島、インドネシアを旅しながら、ダーウィンより14歳年下ですが、同時期に進化論にたどり着いていました。

彼の『マレー諸島　オランウータンと極楽鳥の土地』という本は冒険談として当時人気を博したそうで今読んでもおもしろいです。

もう一人の「ベイツ」はヘンリー・ウォルター・ベイツ（1825〜1892）のことです。昆虫学者、探検家で、仲のいいウォーレスとともにアマゾンへ赴き、動植物を採集して進化論に貢献しています。「ベイツ型擬態」などの学術用語に名を残しています。

昆虫のみならず他の生物も含めて、生物の地図、つまり図鑑を作成したのはイギリス人でした。地図のように土地を縦と横にグリッド線で分けて、神様が創造した虫を1匹ずつ並べていきます。網羅し、枚挙することを目指したのです。マップラバーの面目躍如ですね。

その現物は大英自然史博物館に収蔵され、コレクションの基礎となりました。

イギリスには昔から地図を作る土壌があって、ウォーレスとダーウィンは同じような考え方にたどり着いていたけれども、進化論の手柄はダーウィンがとっちゃった、なんていうことを私は子どものとき知りました。伝記なども読み漁（あさ）っていたので、知識が徐々に増え、いつかは蝶を見に大英自然史博物館にいくぞ、と小学生の頃には心に決めていました。

19世紀前半から半ばにかけて、世界の事物を枚挙し、自然の成すデザインを記述して行くという営みこそが、世界を言祝ぎ、称えることだという意識がイギリスには生まれました。その中心地をたどり、アレクサンドラトリバネアゲハを見たい！　というのがイギリスへ行きたいという思いの出発点です。

いまに至るまで大英博物館——現在の自然史博物館も含めて——は世界に冠たる博物館として、世界一の標本の数を誇り、それが連綿と維持されています。普通の博物館は、ケアが行き届かなくなると、標本がボロボロになり、ダメになっていくのですが、自然史博物館には、放置されている感がありません。それはそこに人とお金を費やして、知の財産を守ろうとする、博物学のパイオニアとしての矜持があるからだと感じます。

大英博物館の現在の姿には、当時の植民地主義に依る部分も大きいので、すべてを褒められるわけではもちろんありません。ただ、私はこの維持管理する執念のようなものに、畏敬の念を覚えます。原産国ではなく、イギリスにあったことで戦災を避けることができ、遺産として現在に引き継がれたというものも、少なくありません。植民地主義や差別は当時も今も問題ですが、それで得たものを維持管理していることについては、一定の評価があっていいと思います。

維持管理の目的には、きちんと普通の人が見ることができるようにする、という事がまず第一に挙げられます。温度や湿度なども含めて美しく保管するのは、日本の科博の昆虫標本でもそうでしたが、非常に手間のかかることです。そして、そのためには、5章でお会いした野村周平さんのような番人や、それなりの設備が必要ですから、人材とそのためのお金も欠かせません。このイギリスの維持管理のやり方はさすがで、現在に至るまで継承されていることには不断の努力を必要としているはず。イギリスではそこに価値を見出し、税金を投入しているに違いありません。

「知の基地」として機能する

その姿勢は、17世紀に生まれた「ロイヤル・ソサイエティ」、ないしは「王立協会」と呼ばれる科学アカデミーの誕生に端を発するようにも思います。科学アカデミーの役割は、科学者の権威を守るというよりも、新しい知識を共有するための「センター」でした。自分たちで知識を生み出すだけではなく、才能を見つけていこうという姿勢がある。

化石を発見したとき日本の科博に鈴木少年が連絡をしたのも、信頼する「センター」だからです。日本も、大石化石ギャラリーの宮田さんが銚子にいるとおっしゃっていたような、普段は市井の人である「マニアさん」を見つけ出す作業もやっています。

黒澤先生も野村さんも、昆虫のプロフェッショナルでありながら、アマチュアに対して寛容だという点で同じです。自ら何かを「発見」した時の気持ちを忘れていないからでしょう。黒澤先生がシンイチ少年のような昆虫少年に接するように、ドリトル先生がスタビンズ君に接するように、野村先生も、嫌な顔ひとつせずに案内の労をとってくれました。

科博は、いわば「日本の大英博物館」です。国立の、自然史のセンターの博物館の番人として、野村さんは守護神のような役割をしているのです。

図書館における司書さんは、本を保存管理すると同時に、人間の知識を守る守護神でもあります。自然史博物館や科博は、同じことをしているのです。標本という実物を守り、新しい情報を集め、評価軸を作って鑑定し、新たな知を築く。その土台の上にまた知を築く。そこには、ノブレス・オブリージュがあり、公平さや高潔さを感じます。ノブレス・オブリージュとは、公共的地位のある者は、それに応じて果たすべき義務や責任がある、という考え方です。イギリスは、政治や経済の力は以前ほどではありませんが、いまだに尊敬を集めるのはこの点ではないでしょうか。イギリスは、「知の基地」だからすごいのです。「知の集積地」として機能し、そこには、イギリス紳士的な公平さ、とでもいうものがあります。

イギリス王立協会の存在

イギリス王立協会は1660年に設立された科学者の団体で、世界で初めての学会、もしくは科学アカデミーと呼ぶべき組織です。イギリス王立協会は、専門官を各地に派遣して、新しい発見をした人材を発掘し、その知見を公表したり共有したりすることを振興しました。

面白いのは、この「知」をリサーチし、ハンターとなる外交官がいることです。新しい才能を発掘しようという精神があるのです。いわばタレントスカウトキャラバンです。たとえば、有名な人で伝記も書かれているヘンリー・オルデンブルグ（1618?〜1677）というドイツ人がいます。彼は王立協会の初代事務総長となりました。才能を発掘する名人で、各地を旅して行きます。

オランダのアムステルダムに出かけたオルデンブルグは、噂（うわさ）を聞いて、わざわざアマチュア科学者アントニ・レーウェンフックに会うため、デルフトまで足を延ばします。彼は各国語に通じていたといいます。

その頃、レーウェンフックは自作の顕微鏡を使って、水中の微生物や精子の存在を発見していました。一方で、そのすぐ後になって、「精子を発見したのは自分が先だ」と主張する人物が同じオランダに出現していたのです。そちらは、ニコラス・ハルトソーケルというプロの科学者でした。彼は「精子が人間の種になっていることを証明した」とまで主張し、今聞くと冗談にしか思えませんが、精子の頭部に小人が体育座りをしている様子をスケッチした顕微鏡観察図を公表しています。

レーウェンフックは、もともと論争や紛争に巻き込まれたり、批判を受けるのが嫌だったので、自分の研究を公表することに逡巡（しゅんじゅん）したようです。それを強く勧めたのが、オルデンブルグなのです。勧められても迷うレーウェンフックでしたが、オタクは自分の発見を自分だけの秘密にしておきたい一方、それを皆に自慢したい気持ちも同時に抱いているものです。オルデンブルグは、レーウェンフックのそんな性格を見抜いていたのでしょう。その場は引き下がりつつも、ロンドンから「その後いかがですか」と何度もしつこく連絡を入れるのです。

しかも、レーウェンフックは慎重な性格で、顕微鏡を見せてくれと言われて、自分の作った中で性能の悪い二番手のものを見せます。一番いいものを見せて、技術など盗まれて真似(まね)をされてはたまりませんからね。

「いやあでも」なんてレーウェンフックは何度か断るのですが、プレッシャーを与えずに長い目でつないでいったようです。今でいうと、原稿を催促する編集者のようなものです。「それならちょっとだけ私の最近の発見を送ります」とレーウェンフックは顕微鏡で観察したことについて送りました。王立協会はそれをすぐに訳して、定期刊行物に載せて賞賛した。レーウェンフックは有頂天になって、どんどん送るようになります。

レーウェンフックは長生きしたので、結局王立協会に送った手紙は、オルデンブルグが死んだ後も含めて、200通以上になったそうです。レーウェンフックの顕微鏡は驚くべき精度と倍率を備えていましたし、その観察も、ハルトソーケルの「妄想」に比べてよほど正確でした。現在、レーウェンフックが顕微鏡の始祖として、微生物や精子の発見者として科学史に名を残しているのは、王立協会に発表の記録が日付とともに残っているからにほかなりません。

すでに別の本でも書いていますが、レーウェンフックの顕微鏡がもたらした「光学的知識」は、同じデルフトに住んでいたフェルメールのあの「光」にも影響を与えたと私は思っています。遠い道のりですが、私がフェルメールに「出会えた」のも、巡り巡ってこの人のおかげなのです。

「知の基地」という発想が生まれた契機は、15世紀、16世紀、17世紀と、中世からルネッサンスにかけて、ヨーロッパ全体で望遠鏡や顕微鏡で動的な世界を見るようになり、世界は聖書で描かれているように静的ではないと気づいたことでしょう。そのための知の中継基地、センターが必要だと思いつき、実現させたのがイギリスだった。そういう伝統があるからこそ、世界中から研究者もメディアもいまだ集まるわけです。

イギリスに研究のために出かけると、知を大事にしようとする心意気も感じます。たとえば、自然史博物館でタイプ標本を見せてもらった時のことです。申し込みをして、日時を段取りしてもらい、実際に野村さんのような管理をする担当研究者の案内で、実物を見ました。それなりに昆虫についての知識がこちらにあるとわかると、「私が台湾で蝶を採集した時は台風が来てね」とフランクに話をしてくれます。「日本ではこうでしたよ」と返事をすると、いながらにして遠隔地の情報交換にもなって行く。

その様子には無理がなく、他者に対して寛容です。親切なのは、アマチュアこそ大切な知識や発想を担(にな)うということを重々承知だからでしょう。市役所の戸籍係のような対応ではなく、話が合いそうだったら打ち解ける余裕があって、とてもチャーミングでした。

第7講　翻訳するという試み

新訳をやってみよう

ドリトル先生の物語に再びもどりたいと思います。イギリスの旅から始まり、この本を書くためにシリーズを読み直していたら、翻訳の工夫やドリトル先生の実像が見えてきました。この後、旅が契機となり、私は新訳を試みるに至ります（筆者は、『考える人』2010年秋号で部分翻訳を手がけ、その後『ドリトル先生航海記』を2014年に完訳、新潮社より上梓（じょうし））。ドリトル先生の物語は、ナチュラリストが現在にも必要なものであると実感したからです。この本の翻訳の歴史は、ナチュラリストがどう日本で受け入れられたかを教えてくれます。振り返っていくことにしましょう。

井伏鱒二が、Doctor Dolittle（ほとんど何事をもなすことのないハカセ）を「ドリトル先生」と訳した時点で、すでにドリトル先生の世界は完成されてしまっています。

そして井伏鱒二が、ドリトル先生に「わし」という一人称で語り始めさせたとき、すでにドリトル先生の人となりも完成されているのです。
「かねてからわしは、この特殊な、ヨウジ魚(うお)をさがしておった」（『航海記』井伏鱒二訳）

小柄で小太り。ちょっと古風。シルクハットを手放さない。そしてこの話しぶり。ドリトル先生のイメージはここに極まりました。

一人称の妙技

川本三郎(さぶろう)さんがかつてエッセイ「禁止事項を作る」（『東京暮らし』潮出版社より）の中でこんな風に書いていたのを思い出します。川本さんは自分に対して、いくつかの禁止事項を作っています。身を律するために。文章を書くときの一人称もそのひとつだと言います。

「僕」という主語を使わない。

その理由は、「『僕』を使うと、どうしても文章が軽く、どこかに甘えが出る気がした」から。その「かわりに『私』を使った。（……）『私』を主語にすると文章が不自由になる。その不自由さがむしろ、大事に思えた」。

エッセイのおわりには、「私」さえも使わないで語る妙技まで示しておられます。

川本さんは、「僕」に関して村上春樹の登場をこう書きます。

「『僕』を主語に、新しい、都市のセンスを持った、風通しのいい文体を作っていった。その影響で、ますます『僕』を使う若い物書きが増えた」

そう、「僕」で語れば、どのように書いても村上春樹風に聞こえてしまう。それでいて村上春樹を超えることは絶対にできない。「俺」で語れば筒井康隆みたいになる。でも筒井康隆を超えることはこれまた決してできない。

ぼく、僕、わたし、私、わたくし、おれ、わし……日本語はたいへんだ。その点、英語は、全部〝I〟だからいいなあ。「ドリトル先生」だって、原文は、先生も、スタビンズ君も、ポリネシアも、チーチーも、バンポも、みんな〝I〟です。

そんなとき、こんな文章を読みました。

村上春樹の小説『世界の終りとハードボイルド・ワンダーランド』では、「僕」が語る物語と「私」が語る物語とが交互に展開される。

史上最大の困難に直面したのは、誰あろう、この小説の英訳を任された翻訳家アルフレッド・バーンバウムだった。「僕」も「私」も英語では、〝I〟である。僕と私が織りなすパラレルワールドをいったいどうやって訳し分けたらよいのだろうか。このときバーンバウムが編み出した方法に、もうひとりの村上春樹の翻訳者として名高いジェイ・ルービンは「脱帽だ」「私は思いつきもしなかった。非常にクリエイティブだ」と絶賛している（月刊「文藝春秋」２０１０年5月号）。

バーンバウムは、「私」の物語を過去形で、「僕」の物語を現在形で訳すことによって二つの世界を鮮やかに描きわけたのでした。

でも、ふと気がつきました。これはもうすでに、ドリトル先生の井伏訳の中で、とっくに実現されていることではないか。

スタビンズ君のあの決意を思い出して下さい。

「『ええ、そうです。』と、私はいいました。『ぼくは、もう決心しているんです。ぼくは何よりも博物学者になりたいんです。』」（『航海記』井伏鱒二訳）

ちゃんと訳し分けられている！　この物語の語り手は「私」、すでに年を経た場所からの述懐であり、それは過去形として現れる。でも、会話の中の9歳と6カ月のスタビンズ少年は、いつまでもみずみずしい「ぼく」なのです。まったく見事です。

で、問題はふりだしにもどります。「わし」問題です。

ドリトル先生の年齢疑惑

さて、こう私は思うのです。

ねえ、スタビンズ君、子どもからみると、大人はみんな同じにみえる。でも、ほんとうのところドリトル先生は一体いくつくらいなんだろう。「わし」年齢だと思う？

1839年の物語である『航海記』には、1809年に北極探検に出かけたとあるので、当時20歳としても、50歳は越えているかもしれません。でも、ひそかに、ドリトル先生ってひょっとするともっとずっと若いんじゃないか、と思ったりもするのです。

たとえば。ドリトル先生は、航海の途中で、スペイン領のカパブランカ諸島に立ち寄りますよね。そこでドリトル先生は、毎週開催されている闘牛に心を痛めます。

牛の息がすっかりあがってくたびれ果てたところに、剣を持った男が登場して牛を殺すのです。（『航海記』）

で、一計を案じる。ドリトル先生は地元興行主に賭けを挑みます。もし、明日の闘牛で、並み居る人気闘牛士よりも上手に牛を扱えたら、今後、闘牛を一切やらないと約束してくれませんかと。興行主はせせら笑います。そして完全にドリトル先生を小馬鹿にしてその申し出を受けるのです。ドリトル先生は、次の日、試合の前に牛の囲い場に出かけて、牛たちと「芸当」について綿密な打ち合わせをします。

そして本番。ドリトル先生は、魔法のように牛たちを従わせてしまいます。観客はびっくり仰天。ついには、牛の角の上で、アクロバットまで披露します。挿絵を見てください。肘をまげたままで逆立ちするのです。これってなかなか「わし」にはできませんよね。オリンピックの体操選手クラスじゃないと無理です。

挿絵はいずれも作者ヒュー・ロフティング自らの手によって描かれたものです。ロフティングは『航海記』を書いた当時、36歳でした。

もうひとつ。ドリトル先生には妹がいました。サラです。当初、サラはドリトル先生と一緒に住んでいました。そして家のことや、医者の仕事で忙しいにいさんの身の回りの世話をしてくれていたのです。ところが、そのにいさんが家の中で、いろいろな動物を飼い始めました。あげくにワニまで住まわせるようになると、患者が寄りつかなくなってしまいました。当然です。サラは、最初は怒り、しまいには呆れ、ついには諦めて、お嫁にいってしまいます。相手は牧師さん。ドリトル先生は、ときどきサラのことを思い出し、「ああ、サラには気の毒なことをしてしまった、サラは今頃どうしていることか」とひとりごちます。

当時の平均的な結婚年齢はどれくらいだったか定かではありません。が、サラはわけなく相手を見つけて嫁いでいってしまいます。ですから、そんなに適齢期を通り越していたとも思えないのです。するといさんのドリトル先生のほうも「わし」を自称するほど老けてはいなかったのではないか、と思えてきます。ちなみに、ドリトル先生は、生涯独身。結婚のけの字もなく、むしろ、女性のことを苦手にしていた様子です。

ということで、いろいろな記述を参照した上で考えてみますと、ドリトル先生は、これまで「わしは、……しておる」イメージから想定されるようなおじいさん年齢というよりも、実はかなり若かったのではないか。もちろん年はとっていきますが、当初はおそらく40歳前後ではないでしょうか。ひょっとするともっと若いかもしれない？　そのように思ったりもするのです。

そんなことで、もし、ドリトル先生の一人称を「わし」から「わたし」へ、その話し方ももうすこし若々しくしてみると、どんなふうになるだろうか、そう思って、私の一番好きなシーン、スタビンズ君が初めてドリトル先生と出会うところを新訳して

みたのが、以下の翻訳文です。『航海記』より。

　これほど土砂降りの雨は見たこともありませんでした。あたりが夜のように暗くなったかと思うと、ものすごい突風が吹いて、雷鳴が鳴り響き、稲光が走って、あっというまに道端の側溝(そっこう)に水があふれて川のようになりました。雨宿りできそうなところはどこにもなく、私は吹きすさぶ風に頭を低くして、家へ帰ろうと駆けだしました。

　いくらも行かないうちに、やわらかいものに頭をぶつけて、気づいたときには尻(しり)もちをついていました。いったい何にぶつかったのだろうと、顔をあげました。目のまえでやはり尻もちをついているのは、見るからにやさしそうな顔をした小太りの小柄な男の人でした。古ぼけたシルクハットをかぶって、手には小さな黒い鞄(かばん)を持っています。

「ご、ごめんなさい」と私は言いました。「下を向いてたから、あなたが来るのが見えなかったんです」

　驚いたことに、小柄な男の人はぶつかった私を怒鳴りつけるのではなく、笑いだしました。

「いや、思いだしたよ」と男の人は言いました。「インドにいたときのことをね。インドでも、雷雨の中で女の人と鉢合(はちあ)わせしてしまった。その女の人は糖蜜(とうみつ)入りの壺(つぼ)を頭に載せて運んでいたから、わたしの髪も糖蜜まみれになってしまったんだ。それから何週間も、どこへ行ってもハエにつきまとわれたものだ。ところで、怪我(けが)はなかったかい？」

「はい」と私は答えました。「大丈夫です」

「いや、きみも不注意だったが、わたしも不注意だった。わたしも下を向いていたんだよ。それはともかく、こんなふうにここに座っておしゃべりしている場合ではないな。これでは、きみはずぶ濡(ぬ)れになってしまう。もちろん、わたしもね。ところで、きみはどこまで行くのかな？」

「町の反対側にある家に帰るんです」私は男の人と一緒に立ちあがりながら答えました。

「そりゃ、だめだ、今だって道は水浸しだ。それに、まずまちがいなく雨はますます強くなる。ひとまずわたしの家に来て、体や服を乾かしなさい。こんな大雨はそう長くは続かないはずだからね」

私は男の人に手を取られて、来た道を走って引きかえすことになりました。走りながら、この一風変わった小柄な男の人はいったい誰なんだろう、どこに住んでいるんだろう、と考えていました。見ず知らずの私に、家に来て、服を乾かしなさいと言ってくれるなんて、時間さえ教えてくれなかった赤ら顔の大佐とは大ちがいです。ほどなく、私たちは足を止めました。

「さあ、着いたよ」と男の人が言いました。

どこにいるのかと顔をあげると、驚いたことに、そこは大きな庭のある小さな家の石段の下でした。たった今知りあったばかりの男の人は、早くも階段をあがり、ポケットから鍵束を取りだして、門を開けようとしています。

信じられない！　この人が偉大なドリトル先生だなんて！

ドリトル先生のことを山ほど聞かされていたせいで、きっとものすごく背が高くて、がっちりしたりっぱな人なのだろうと思っていたのです。だから、やさしい笑顔の、この小柄で不思議な人がドリトル先生だとは、にわかには信じられませんでした。しかし、この人は確かに石段を駆けあがって、この門を開けました。それはまぎれもなく私が何日も何日も前から通い詰めた場所でした。

犬のジップが家から走りでてきて、男の人に飛びついて、嬉しそうに吠えました。

雨はいよいよ激しくなってきました。

「あなたはドリトル先生ですか?」庭の短い小道を通って家へ向かいながら、私は大きな声で尋ねました。

「そうだよ、わたしがドリトルだ」男の人は答えながら、門のときと同じように鍵束についた鍵を使って玄関のドアを開けました。「さあ、入りなさい。靴はマットで拭かなくていいよ。泥だらけだって気にすることはない。そのまま中に入りなさい。雨のあたらないところへ」

私がすばやく家に入ると、ドリトル先生とジップも続いて入ってきました。そうして、先生はドアをパタンと閉めました。

嵐のせいで外も暗くなっていましたが、ドアを閉めた家の中は夜のように真っ暗でした。すると、聞いたこともない奇妙な音がいっぺんに押しよせてきました。無数の動物や鳥がいっせいに吠えて、鳴いて、雄たけびをあげたような音です。階段をゴトゴトと何かが転がりおちてきたかと思うと、廊下をバタバタと何かが走ってきます。真っ暗な闇の中のどこかで、アヒルがクエッ、雄鶏がコケコッコーと叫び、ハトがクークー、フクロウがホーホー、子ヒツジがメーメー、最後に、ジップがひと声ワンと鳴きました。鳥がはばたいて、私の顔をかすめて飛んでいきます。脚にはひっきりなしに何かがぶつかって、私はあやうく転びそうになりました。どうやら、玄関の間は動物であふれているようです。その音は雨の音と一緒になって、耳をつんざくほどでした。ちょっと怖いな、と私が思ったちょうどそのとき、ドリトル先生が私の腕をつかんで、耳元で言いました。

「心配はいらないよ。怖がることはない。ここにいるのは、わたしが飼っている動物のほんの一部だ。三カ月も留守にしていたわたしが帰ってきたから、みんな喜んでいるんだよ。今立っているその場所でじっとしていなさい、明かりをつけるからね。いやはや、これほどの大嵐になるとは思いもしなかった。ほら、雷がゴロゴロ言ってるぞ」

私は真っ暗な闇の中でじっと立っていました。そうしているあいだにも、すぐそばで姿の見えない動物たちが騒ぎたてて、走りまわっています。それはなんとも妙な気分で、同時に、楽しくもありました。それまで私は、門の外から家を眺めながら、ドリトル先生はどんな人だろう、風変わりなこの家の中はどうなっているのだろうと、思いをめぐらしていました。とはいえ、まさかこんなふうだとは想像すらしませんでした。それでも、ドリトル先生の手が私の腕におかれているのを感じると、もう不安は消えて、今までに感じたことのない不思議な気分になりました。すべては奇妙きてれつな夢のようで、自分はほんとうに目が覚めているのだろうかと、だんだん自信がなくなっていきます。するとまた、ドリトル先生が言いました。

「やれやれ、わたしが持っていたマッチ棒は全部濡れてしまっている。こすっても火がつかない。もしかして、きみはマッチを持っていたりするかな？」

「いいえ、持ってません」と私は答えました。

「そうか、まあ、気にすることはない。ダブダブがどこかから明かりを持ってくるだろう」


そう言うと、ドリトル先生は舌を鳴らすようなおかしな音を立てました。とたんに、今度は何かが階段をペタペタとあがっていって、二階を歩きまわる音がしました。


しばらく待っていましたが、何も起きません。

「まだとうぶん明かりはつかないんですか？」と私は尋ねました。「何かが足の上に座っていて、つま先が痺れてきてるんです」

「いや、もうまもなくだ」とドリトル先生は言いました。「もうすぐ、戻ってくるよ」


そのとき、階段の上のほうがうっすらと明るくなって、動物たちがぴたりとおとなしくなりました。

「先生はひとり暮らしなんだとばかり思ってました」と私は言いました。「明かりを持ってくるのはダブダブさ」

「ああ、そのとおりだよ」とドリトル先生は言いました。

私は階段の上のほうに目をやって、誰がおりてくるのかと目を凝らしました。階段は曲がっていて一番上までは見通せませんでしたが、踊り場のすぐ上のあたりでとても奇妙な足音がしました。誰かが片足だけで階段を一段ずつ飛びおりているようです。

明かりが階段をおりてくるにつれて、どんどん明るくなって、壁に階段をヒョコヒョコと飛びおりる奇妙な影が映りました。

「おお、やっと来た」とドリトル先生が言いました。「さすがはダブダブだ！」

やっぱりこれは夢なんだ！　と私は思いました。踊り場を曲がって現われたのは、首を突きだして、階段を片足でぎこちなく一段ずつ飛びおりてくる、真っ白なアヒルだったのです。もう一方の足には、なんと、火のついたロウソクを持っていました。

新訳で得た至福の時間

いかがでしょうか。訳が出来上がったところで、私は、ちょうど同時期に同じシリーズで『ウィニー・ザ・プー』（アラン・アレクサンダー・ミルン著）を翻訳された阿川佐和子さんと手紙のやり取りをしました。「ドリトル先生みたいになりたい」そう憧れた少年と、プーの住む森に小屋を建てて探検したいと願った少女は、大人になって、それぞれの大切な作品の訳者として、物語と再会したのです。ニューヨークと東京のあいだを手紙が行き交います。その一部をご紹介しましょう。

阿川佐和子さま

『ドリトル先生航海記』新訳がようやくできました。阿川さんとはドリトル先生の物語の面白さについて、『センス・オブ・ワンダーを探して』という対談本（大和書房、2011年）の中で、熱くお話したことがありますよね。

「私（阿川さん）、ドリトル先生は『航海記』と『アフリカゆき』までしか読んでいないんですけれど、それでもドリトル先生になりたいと思いましたよ。動物と言葉が通じる人間になれたらどんなに面白いだろう、動物たちと相談しながら世界中を気ままに旅ができたらどんなに楽しいだろうと羨ましかったもの」のかもしれませんが、私は圧倒的な影響を受けました。

女の子と男の子では、子ども時代に読むドリトル先生の物語の受け止め方が違うのかもしれませんが、私は圧倒的な影響を受けました。たとえば、「博物学者（ナチュラリスト）」という言葉にノックアウトされましたね。貝採りのジョーが教えてくれます。「ハクブツ学者とはな」「動物のことも、蝶のことも、植物のことも、鉱物のことも、なんだって知ってる学者さんだ。ジョン・ドリトル先生といえば、その中でもとびきり偉いハクブツ学者だぞ。」（原文では、nacheralist となまっているのでカタカナで訳してみたのですが）

ああ、ドリトル先生のように世界中を旅して、珍しいカブトムシを採ったり、鳥や動物の言葉に耳を傾けてみたい、と切実に思いました。で、ある意味で、その夢を追ってこうして生物学者になってしまったわけです。

でも、よくよく考えてみると、当時、いくら子どもだとはいえ、ドリトル先生が動物語を自在に操れ、オウムやサルやイルカや、果てはヒトデや貝とも会話を交わす、ということの物語がファンタジーだということ、まったくの絵空事だということは、十分わかっていたはずです。

なのに、どうしてあんなにドリトル先生の物語に夢中になり、感情移入できたのでしょう。それが今回、訳してみて、あらためてよくわかりました。

私は、ドリトル先生みたいになりたい、と願うよりも先に、ドリトル先生に出会う、トミー・スタビンズ君のようになりたい、と思ったからなんですね。

ご存知のとおり、ドリトル先生シリーズの第一作『ドリトル先生アフリカゆき』では、まだスタビンズ君は現れていません。物語も、「むかし、むかし、(……)パドルビーという小さな町に……」という具合に、三人称で進みます。

ところが第二作『ドリトル先生航海記』からはスタビンズ君が登場します。このことはドリトル先生の物語に、思いがけないほどの深みをもたらすことになったのでした。なぜなら、『航海記』以降のこのシリーズの物語はすべてスタビンズ君が見聞きした実体験として、一人称の文体で書かれることになったからです。スタビンズ君を得て、ドリトル先生の物語はがぜん生き生きとしたものになりました。そして、スタビンズ君が語ることによって、はじめてドリトル先生という人物の面白さ、奇妙さ、不思議さ、キュートさ、そして、これがいちばん重要なポイントだと思うのですが、ドリトル先生の公平さ(フェアネス)、がくっきりと浮かび上がることになったのです。

そのような公平な大人と出会うことが少年にとってはかりしれない大きな意味を持つことが明らかになっていきます。つまり、ドリトル先生の物語は、スタビンズ君の物語でもあるのです。このことがほんとうによく実感できました。ドリトル先生の公平なふるまいに対して（ドリトル先生はスタビンズ君のことをいつもちゃんと名字で呼んでくれます）、スタビンズ君は心からリスペクトするんです。それが全編に満ち満ちています。それがドリトル先生の物語の本質だと感じました。

作者ヒュー・ロフティングによる、スタビンズ君の造形というのが、また実にうまいんですね。彼は町の貧しい靴屋さんの一人息子で、学校に通わせてもらえないんです。でも決してスタビンズ君は可哀想とか、不幸だという風には描かれていない。川岸に腰掛けて行き交う船を眺めながら空想にふける自由な毎日を過ごします。同い年の友だちはいないけれど、ネコ肉屋のマシュー・マグとか、貝採りのジョーおじいさんとか、世捨て人のルカといった、町のちょっと変わった大人たちと楽しい交流があります。両親もとてもやさしい。そして不意にドリトル先生との邂逅が訪れます。

ドリトル先生が訪ねてきたとき、お母さんは、丁重に“Who might it be

that I have the honor of addressing?"（ところで、たいへん失礼ですが、どちらさまでしょうか？）と尋ねるのです。こんな英語はなかなか使えません。でも、こういった礼儀正しさ、公平さに囲まれることは少年にとってとても大切なことですよね。だから私を含めて、読者は（とくに読書少年は）不可避的に、スタビンズ君の境遇に憧れてしまうのじゃないかな、と思いました。

ただ、まあ井伏鱒二の名訳がある以上、そしてドリトル先生の世界に対する私たちの印象のほとんどは彼の軽妙で軽快な翻訳によってもたらされたものである以上——そもそも、Dr. Dolittleを井伏が「ドリトル先生」と音訳した時点で（原義に忠実に訳せば、ほとんど為すことのない、おさぼり博士）、すべてのことは定まってしまったわけで——、もはや何かを大きく変えることなどできるはずもありません。

ですから今回の翻訳も、このスタビンズ君のドリトル先生に対する尊敬の気持ち、そして冒険が始まるときのわくわくした感覚をできるだけ平明に、素直に、丁寧に訳すことだけを心がけました。

それからもうひとつふと思ったことがあるのです。

この物語にはときどき、スタビンズ君の一種、ものがなしい、遠い憧憬のような述懐が出てきます。

例えば冒頭近くにある、「考えてみれば、したいことだけをしてのんびり過ごしていたのですから、それはもう遠い昔のすばらしい日々でした。けれど、当時の私はそんなふうには思っていませんでした。子どもというのはみんなそうですが、まだ九歳と半年だった私は、とくに大きな悩みも心配事もないのが、どれほど幸せかも知らずに、早く大人になりたいとばかり願っていたのです」のような言い回しです。

実は、ここにドリトル先生の物語の秘密があるかもしれないと私は思いました。そこはかとない抒情(じょじょう)と追憶の念がたえず通奏低音のように流れているのは、すべてが「私」にとって、ずっとずっと昔の過去の記憶だからですよね。このお話を書きとめているスタビンズ君は、もはや、ドリトル先生と出会ったあの9歳半のトミー・スタビンズではありません。あの日から長い長い月日がながれました。「私」はすっかり老人となりました。たのしい家族たちはみんなもうどこかへ消えてしまった。もちろんあの優しいドリトル先生も。

ひょっとすると……さらに私は思いました。ひょっとすると、すべてのことは、あらゆることは、川岸の石段に腰掛けて、足をぶらぶらさせながら、行き交う船を眺めていたスタビンズ少年の、淡い儚(はかな)い空想だったのかもしれないな、と。だからこそドリトル先生の物語はこんなにも美しいのかもしれません。

さて、調子に乗ってすっかりドリトル話がながくなりすぎました。阿川さんの方は『クマのプーさん』に取り組んでおられるのですよね。阿川版プーさんは、どんな感じでしょうか。手応えはいかがですか。そうそう、あの草食性のスギカエルはいったいどうなりましたか。ぜひお話、いろいろお聞かせください。

それに対して阿川さんは丁寧にお返事をくださいました。紙幅の関係ですべてを掲載できませんが、一部をご紹介します。

福岡伸一さま

（前略）『クマのプーさん』といえば、すぐに思い浮かべるのは石井桃子先生の翻訳版でしょう。その名訳を向こうに回して、あえて新訳に挑もうというのだから、私もなかなか図々（ずうずう）しいというか大胆というか、我ながら呆れます。しかも私は、以前、福岡先生にお話ししたとおり、幼い頃にナマの石井桃子先生にお会いしたことがあるのです。昭和30年代の半ば、私が小学低学年の頃、石井先生がご自宅の居間を改築して開いた「かつら文庫」という子供のための図書室に読書好きの兄としばらく通っておりました。そのときの話は別の本の中ですでに語ったので、ここでは省略しますけれど、その「かつら文庫」にて、私は『ドリトル先生』にも『クマのプーさん』にも出会ったのですから、不思議な縁を感じます。

初めて「かつら文庫」でプーに出会ったときのことを、私は定かに覚えていません。ただ、ドリトル先生のように動物たちと自在に言葉が通じる才能を身につけて、プーたちの住む森に私も小屋を建て、毎日、学校へ行かずにプーやコプタンやウサギとつるんで川遊びや木登りや探検に行きたいと思ったことだけは、はっきりと記憶に残っています。そんな短絡な発想しか思い浮かばない私と違い、石井桃子さんとプーの出会いはドラマティックです。その日のことを、石井さんは『プーと私』(河出書房新社)という随筆集で綴(つづ)っておられます。

ちなみに石井さんが『クマのプーさん』の日本語版を出版しようと思われたきっかけは、少し年上の病身の女友達のためだったというエピソードは以前から私も薄々知っておりました。石井さんがある日、彼女のところへお見舞いに行った際、英語版で読んだプーの話をしてあげたところ、その友達がこよなく気に入って、「もうじき死んだら、三途(さんず)の河原で石をつんでいる、かわいそうな子どもたちを相手に、幼稚園を開こうと思うのだが、ちゃんと日本語になっていないと、上手に話してやれないではないか」と言ったからだというのです。では、石井さんがどこで最初にプーの英語版と出会ったかというと、その随筆集にはこう書かれてあります。

……一九三三（昭八）年のクリスマス・イーヴに、私は、そのころ、信濃町の駅のすぐ上にあった、故犬養健（いぬかいたける）氏邸をたずねた。当時、私は、雑誌社に勤めていて、はじめ、仕事のことで健氏と知りあい、そのうち、いつのまにか、夫人やふたりのお子さんたち（いまは評論家として活躍中の犬養道子さんと共同通信社の康彦（やすひこ）さん）たちと親しくなってしまっていたのであった。その夜も、きっとクリスマスのことで伺ったのにちがいない。……（同書より）。

その晩、石井さんは子どもたちにせがまれて、クリスマス・ツリーの下に置かれていた、あまり新しくない朱色をした一冊の本を読み始めます。

……その時、私は、その本の著者についても、その本に登場するクリストファー・ロビンやプーやコブタについても、何も知らなかった。だから、私は、小さい聞き手に何の予備知識もあたえないで、いきなり、「ある日、プーは――」とはじめたのである。

その時、私の上に、あとにも先にも、味わったことのない、ふしぎなことがおこった。私は、プーという、さし絵で見ると、クマとブタの合の子のようにも見える生きものといっしょに、一種、不可思議な世界にはいりこんでいった。それは、ほんとうに、肉体的に感じられたもので、体温とおなじか、それよりちょっとあたたかいもやをかきわけるような、やわらかいとばりをおしひらくような気もちであった。……（同書より）

そうなんです。私が言いたかったのは、そういうことなんですよ、ハカセ。私のワクワクはまさに、石井さん曰くの「あたたかいもや」であり、私のドキドキは、石井さんの「やわらかいとばり」なんだと思うのです。そのどちらも、本の中になんの説明も解説もないのだけれど、プーのお話のなかには確実に、たんまりたっぷり溢れているのです。

こんな劇的な出会いをともなって1940年、初めて日本に紹介された「クマのプーさん」の名訳に、はて私はどうやって対抗できようか。考えました。ちょうどプーがナラの木の上のミツバチの巣に近づくほどの勇気と不安を抱えながら、あれこれ考えました。そして、できることはただ一つと結論づけたのです。すなわち、私自身が森の仲間になり切ってみるしかない。なれるわけはないけれど、なったつもりで、なった気分に浸ってみようではないか。そして日本語の翻訳者として、プーのまわりで次々に起こるトンチンカンな（プーたちにとっては重大な）事件の現場に立ち会って、プーやコブタンやウサギやクリストファー・ロビンの思いをできるかぎり丁寧に汲み取ろうと努力したつもりです。

さて、その出来はいかに？　今度、感想をお聞かせください。厳しく的確に、いたわりの言葉を少しだけ添えて、お願いしますね。

追伸。このたびの新訳「プー」のタイトルは、『ウィニー・ザ・プー』といたしました。もちろんそれは、石井桃子先生の『クマのプーさん』という作品に敬意を表してのこと。でも本当はひそかに、ウィニー・ザ・プーが仲間とともに、新たな冒険へ旅立ってほしいという願いを込めているのですけれどね。

阿川さんのお人柄と翻訳に対する姿勢がよく表れています。私はこんな返事をしました。

阿川佐和子さま

（前略）お手紙拝読しました。楽しいお話をありがとうございます。というよりも、阿川さんご自身の楽しい感じが手に取るようにわかりました。翻訳自体はあれこれたいへんなのですが、この物語の中に入って、一緒に過ごせることが楽しいんですよね。

さてさてご存知のとおり、石井桃子さんは実は日本人がこれほどドリトル先生の物語に親しむようになった経緯にも大きく関わっていらっしゃるんですよね。あるとき外国の友人から、ドリトル先生の本を紹介され、あまりに面白いのであらすじを井伏鱒二先生に聞かせたところ、目をパチパチさせて「いい話ですね。いい話ですね」と何度もおっしゃったそうです。で、石井桃子さんの薦めに応じるかたちで井伏先生が訳すことになったわけですが、この間、石井桃子さんがかなり下訳的なことを手伝ったそうなんです。ですから『クマのプーさん』も『ドリトル先生航海記』も――というよりも、バージニア・リー・バートンの『せいめいのれきし』なんかも含めて、私たちが子どもの頃に触れたセンス・オブ・ワンダーの源としての児童文学全般に対して――、石井桃子さんの果たした役割というのは計り知れないものがありますよね。

そんな石井桃子さんが主宰されていた「かつら文庫」に阿川さんが実際に通われていて、石井桃子さんからじかにお話を読んでもらったり、来日したリー・バートンが恐竜の絵をかいてくれるのを最前列で眺めた、なんていう体験談をされるのを聞いて、何てすばらしいことだろうとほんとうに生まれて初めて誰かを心の底からうらやみました。やはり杉並文化圏と練馬文化圏には決定的な差があります。私の方には当時文化的（？）アイコンはネリカン（練馬にある東京少年鑑別所）しかありませんでした……。

ひょっとしたら、石井桃子さんにドリトル先生を紹介した「外国の友人」とは、リー・バートンその人か、あるいはその関係者ではなかったかともふと思いました。ちょうどその頃（１９３０年代後半）、石井さんは、バートンの『マイク・マリガンとスチーム・ショベル』なんかを訳していたんです。ところで阿川さんは生前の井伏鱒二にお会いになったことはないんですか。

さて、ドリトル先生の物語は、奇想天外なわりにはかなり事物や時系列がきちんとしているんです。それが今回訳してみてよくわかりました。

スタビンズ君はドリトル先生に弟子入りして自分もドリトル先生のような博物学者をめざす決意をするわけですが、そのとき読み書きがきちんとできないとダメですよねと尋ねます。するとドリトル先生はこう言いました。

「いや、それはどうかな。たしかに、読み書きができるのは便利だ。といっても、博物学者ならみんなできるとはかぎらない。たしかに、今、世間の注目を浴びている若い学者のチャールズ・ダーウィンは、ケンブリッジ大学を出ていて、読み書きは達者だ。それから、フランスの大博物学者キュビエはかつて教師もしていた。だが、いいかね、そういった者がいるいっぽうで、この世でもっとも偉大な博物学者は自分の名前の書き方も、アルファベットの読み方も知らないんだよ」

ちなみにドリトル先生は——内心、スタビンズ君の決意を喜びつつも——、こうつけ加えています。

「なるほど、だが、博物学者になってもお金持ちにはなれないよ。いや、実際、ぜんぜんお金にならない。優秀な博物学者の多くは、まるでお金を稼いでいない。むしろお金を使ってしまう」

笑えますよね。さて、ドリトル先生がスタビンズ君と会ったのは１８３９年のことです。文中にそうあるのでこれは動かせません。一方、ダーウィンは１８３１年暮、英国海軍測量船ビーグル号の臨時乗組員になってガラパゴス諸島など世界各地をめぐります。帰国したのはようやく１８３６年のこと。まだ20代後半です。そのあと長い考察を重ねて『種の起源』で進化論を世に問うのは１８５９年になってからなので、まだまだだいぶん間があります。ですから「世間の注目を……」というにはちょっと早すぎるのではと思っていたらそうでもないんです。調べてみると、ダーウィンはビーグル号が各地に寄港するたびに本国に採集標本や記録を送っていて、それが学会で評判をとり、航海中すでにかなりの有名人になっていたんですね。つまりロフティングは結構、時代考証をきちんとして書いているというわけです。

それは事物についてもいえます。「この世でもっとも偉大な博物学者」とは、ロング・アローという謎（なぞ）の人物のことです。彼の消息を求めてドリトル先生一行はクモサル島にたどり着きます。ここにはジャビズリー・カブトムシという世にも稀（まれ）な大型昆虫が棲息（せいそく）しています。果たしてそれが突然、目の前に姿を現します。ドリトル先生はもう夢中になって、崖（がけ）から落ちそうになってまで追いかけて、首尾よくシルクハットで捕まえます。そのときの言い分がふるっているんです。

「今日のわたしと入れ替われるなら、世界中の昆虫学者は誰だって、全財産を差しだすはずだよ」

クモサル島はもともと南米大陸の一部だったものが離れたものです。実際、南米は昆虫マニア垂涎（すいぜん）の的になっているヘラクレスオオカブトをはじめ、ネプチューンオオカブト、あるいはゾウカブトといった大型のカブトムシの特産地なのです。しかも色が青くなる変種があって特に珍重される。スタビンズ君にこう書かせています。「それはこの世で一番美しい昆虫と言ってもいいほどでした。腹は薄青色で背中は艶やかな黒……」。ロフティングは昆虫にも相当詳しかったのではないかと思うんです。

このジャビズリー・カブトムシの不思議な導きでドリトル先生はついにロング・アローと歴史的な邂逅を果たします。このシーンがまたいいんですよね。二人は言葉が通じないので、最後はワシ語で挨拶を交わします。

ロング・アローはことさら植物学に詳しく、さまざまな薬草類を集めています。それがまた傑作なんですね。

笑い豆。食べると、浮かれ騒ぎたくなる。これを3粒も食べたバンポ王子は笑いが止まらなくなってしまいました。どうやらマジックマッシュルーム系ですね。赤い根。何時間でも猛烈な勢いで踊り続けられる。これは覚醒剤のようです。ブドウの油は養毛剤。黒い蜂蜜はすばらしい効き目で切れもよい睡眠薬。その他、美声になる木の実。傷口の血を止める水草。ヘビに咬まれた傷に効くコケ。酔い止めの地衣類……。

これを聞いてドリトル先生は「世界の医学と化学を一変させるだろう」と述べます。20世紀の医学、化学、薬学の大発展は民俗学や文化史の中にあった自然の知恵に負っているわけで、ロフティングはこういったことも早くも20世紀前半から展望できていたわけです。

ロフティングはイギリス生まれですが、ニューヨークおよび米国東海岸に住んだ人でした。ちょうど私も今、ニューヨークにいるので翻訳しているあいだもことさら彼のことを身近に感じていました。ロフティングは鉄道技師としてアフリカで仕事をしたこともあり、もしかしてブリストルから出港する船に乗ったことがあるのかなあ、それが『ドリトル先生航海記』の原風景なのかなあ、などと夢想しながら。

ということで何回読んでもその都度、新しい発見の感慨があるのがドリトル先生の物語だと思います。古い本なのにもかかわらず全く古びていない。それは阿川さんが訳されたプーの物語にも言えることだと思います。すぐれた物語というのは、自分自身の中に流れている、あるいは流れていってしまった時間を追体験できる本のことなのだと思います。つまり、このお話になぜ自分は惹かれつづけてきたのか、なぜ大切だと思うのか、その理由のありかが再発見できるということです。だからこそ阿川さんはプーやイーヨーたちと一緒に森の仲間の一員となってこの物語をもう一度たどりなおすことがこの上なく楽しかったわけですし、私は私で、スタビンズ君になりきってドリトル先生と再会し、もう一度、ドリトル先生と一緒に旅に出かけることが、かけがえのない至福の時間となったのではないでしょうか。ですから——これは阿川さんも賛同していただけると思いますが——、お互いこの仕事が、この年齢になってできたことはたいへん光栄なことだったと思います。

ニューヨークでまわりの米国人に聞いてみると、子どもの頃、ドリトル先生の物語を読んだことがあるという人に今のところ出会ったことがありません。バーンズ&ノーブルにもありませんでした。こんな素敵な物語が欧米では忘れ去られつつあるというのはどうやらほんとうのようです。それが日本では今だに読み継がれていることはとてもうれしいことですし、こうしてリニューアルの一端をお手伝いすることができたことはとても幸いなことでした。少年が出会うべき理想の大人としてのドリトル先生、人生にとって何がほんとうに大切なことかを教えてくれるロールモデルとしてのドリトル先生というのは、時代や地域が変わっても、普遍的なものだと確信しています。

翻訳ということについていえば、石井桃子さんや井伏鱒二先生を超えることは、はなからできっこないことであったわけですが、あえていうならば、私たちは、むしろ彼らのおかげで、彼らにはできない形の時間旅行ができたということになります。そしてこれは、すべての読者の方にも確約できる旅路だと思うのです。もちろんそれは言うまでもなく、訳文ではなく物語そのものの力と深みのおかげなのですけれど。

これに対して、あたたかいお返事を頂戴(ちょうだい)して、新訳についてのやりとりは終わりました。ちなみに、うかがってみたところ、阿川さんもさすがに、井伏鱒二さんにはお会いしたことがないそうです。とはいえ、井伏鱒二さんの名前を「ドリトル先生」シリーズで見たときに、この人のお兄さんは「鮎一」とか「鮭一」、弟は「鯵三」とかいう名前なのかな、なんて思ったのだと最後に教えてくれました。さすが阿川さん！

物語に生じた変化

ドリトル先生の物語は1巻目の『ドリトル先生アフリカゆき』から始まって、『ドリトル先生航海記』『郵便局』『サーカス』『動物園』『キャラバン』『月からの使い』『月へゆく』『月から帰る』『秘密の湖』（上下）『緑のカナリア』『楽しい家』と全12巻13冊でセットになっています（17頁参照）。

実は、『月から帰る』が刊行されたあと、次の『秘密の湖』とのあいだには、15年もの空白期間があきました。『緑のカナリア』と『楽しい家』は、著者ロフティングの死後、編纂（へんさん）された作品です。

私が一番好きなのは『航海記』です。あまりに好きすぎて新訳にチャレンジしてしまったほどですから。ここではじめてスタビンズ君という少年が登場し、助手となって先生の発言、足跡を間近に見聞きし、それをのちに記述するというたいへん巧みな構成、いわば「福音書」様式になります。物語はスタビンズ君という話者（ナレーター）を得ることにより、格段にビビッドなものとなり、読んでいる少年少女はドリトル先生の魅力にリアルタイムで触れるような読書体験を味わうことになります。そして幸運なスタビンズ君に憧れるのです。

ところで、ドリトル先生の物語をワクワクしながら通読したドリトルファンの多くに共通の読後感があるのではないでしょうか。読み進めていくにつれて、シリーズ後半になるとだんだん暗い影が差してくるような気がする、ということです。最初の頃の楽しいことばかりのドリトルファミリーの物語から、ドリトル先生自身は徐々に哲学的になって、スタビンズ君さえも遠ざけてしまうような展開になっていくのです。

それは『月からの使い』あたりから始まります。巨大な蛾（が）がドリトル先生の家に使いとしてやってきます。月から狼煙（のろし）が上がって、蛾の背に乗ってドリトル先生は月に行く。今までならスタビンズ君も一番の右腕として旅に同行するはずなのに、ここでは置き去りになってしまいます。一緒に連れて行ってもらえないわけです。物語では、何が起きるかわからないからスタビンズ君を犠牲にしたくないとドリトル先生は理由を伝えますが、結局のところ声をかけてもらえなかったわけです。

一人で先生は黙って旅立ってゆきますが、スタビンズ君は直前に気づいてその蛾のお尻にしがみついてなんとか月旅行について行きます。『航海記』では密航者だったマシュー・マグと同じ扱いになってしまうのです。一方で先生は、月に行き、月の生物たちが非常に長生きをして平和に暮らすのを見て、「長生き」さらには「不老不死」ということに執着するようになります。逆の側面から見ると、ドリトル先生は「老い」に対してある種の恐怖を持ち始めていく。自分には時間がない。世界に研究したいことが山ほど残っているにもかかわらず、自分に残された時間は短い。だから、できるだけその時間を伸ばしたいという執着にかられて行くのです。

このことが『月から帰る』に暗い影を落としていると思えるのです。少年の頃読んでいたときは、ドリトル先生とスタビンズ君との距離が空いてしまうにつれ、物語が暗くなって行く寂しさを感じたのですが、今になって読み直すと、著者のロフティング自身の人生に対する諦念、あるいは執筆に対する内省的な感触を背景に感じます。

『月からの使い』『月へゆく』『月から帰る』の〝月〟三部作が完了すると、著者ロフティングはドリトル先生シリーズの筆をいったんおきました。まるで物語はここで終わるかのように。

しかし終わりにしては、不思議な、ある意味でとても謎めいた終わり方をしているのです。他の物語が、みんなでドリトル先生を囲んで楽しい雰囲気のうちに終わるのと全然異なっていますし、なんとも宙ぶらりんな感じなのです。

岩波書店版（井伏鱒二訳）で見てみましょう。月に行って帰った後、膨張して疲れた身体（からだ）をリハビリでもとにもどし、ドリトル先生はなんとか月の環境を地球上にうつして、長寿の研究を進めようとします。

しかし、日常の忙しさに取り紛れてなかなか思うようにはかどりません。『月から帰る』の最後は、夜遅くまでひとり思い悩むドリトル先生を書斎に残したまま、スタビンズ君とマシュー・マグがそっとその場を立ち去るところで終わっています。

普通に読むと、ドリトル先生はさらに研究に邁進（まいしん）していくかのように読めます。でもほんとうは違うのではないか。

ふと先生は、新しい考えが浮かんでそれを書きとめようとされたのか、再び机の方に向きました。

（中略）

私たちふたりは立ちどまって、窓の中をのぞきました。ドリトル先生は、もう一心にペンを走らせていました。

この「新しい考え」とは一体なんでしょう。急いで書きとめようとされたことはなんでしょう。

それからマシュー・マグの発言にも意味深長なものがあります。マシューには学歴も教養もなく、いつもべらんめえ口調（の英語）で話しますが、ストリートワイズというか、地頭（じあたま）の良さ、というか、いつも世界に対する、非常にシンプルな、そして正しい洞察をもたらす人物なのです。そのマシューがこんな風にいいます。

「永遠の生命か！　まるきり先生らしい話じゃないか？　どうだね、トミー、先生の研究はうまくいくだろうか？」

つまり先生の研究の行方に批判的なのです。でも、どこまでも先生に忠実なスタビンズ君にたしなめられます。

（スタビンズ君）「きっとうまくいくと私は信じています。先生は今までに、一度決心されたことは、どんなことでもかならずやりとげられたじゃありませんか。」

「そうか！」と、マシューがつぶやきました。「おまえさんがそうだというなら、トミー、あっしもそうだろうと思うよ。」

私はもういちど月三部作をあらためて読み直してみました。とくに『月から帰る』の最後を注意深く何度も読んでみました。するとひとつ興味深い発見をしました。そして、これは今一度、英語の原典にあたるべきだ、と考えました。

先生が一心に何かを書きとめるシーンは、

John Dolittle was already writing away writing away furiously.

となっています。writing away furiously は、もう我を忘れて一心不乱に、猛烈ないきおいで、という感じでしょうか。この直前、ドリトル先生は実験や観察をしていたわけではなく、スタビンズ君とマシュー相手に、不老不死が得られたら人間はどうなるかを論じていたのです。そのあと急に何かを思いつき、furiously に書き始めた。

つまり、不老不死の「秘密」を解明したというのではなく、もっと別のことに思い至ったのではないか。そうなると、ドリトル先生の「新しい考え」の読み方も違ってくるのではないでしょうか。そして、最後のシーン、マシューがスタビンズ君に対して、「そうか！」というところは原文では、“Humph!” となっています。Humph はどちらかといえば、相手のいうことに疑いや不満を示すときにつかわれる感嘆詞のはずです。「それはどうかな」「いやはや」「なんとも」といった感じではないでしょうか。つまりスタビンズ君の意見にかならずしも賛同したわけではないのです。

そこで『航海記』に続いて、ここも自分で新訳に挑戦してみることにしました。

すでに午前二時近くになっていましたが、私たちの宴会は終わりそうにありませんでした。そろそろ家に帰らないとな、とマシューがいいました。

ダブダブは、明日の朝食に備えてキッチンをきれいにかたづけたいと思っていたところでした。そこでこれを機に、みんなを促して寝室に行かせることにしました。

先生とマシューと私は書斎に移動しました。

「本を書くお仕事はどんなぐあいですか」とネコ肉屋はたずねました。

「そうだな、マシュー」とドリトル先生はいいました。「思うようにははかどらないよ。でもこれからは大丈夫だ。なんせこのスタビンズ君がわたしの代わりに患者を見てくれるからね。もう聞いているだろう？　すばらしいことじゃないか。彼がいなかったらわたしは何もできていないよ」

「でも先生、聞いてください」私はいいました。「あまり夜遅くまでお仕事をされてはいけません。そうでしょう。これからは朝もたっぷりお時間がありますからね」

「時間か、スタビンズ君？」そういう先生の目には、夢見るような不思議な光が宿りました。

「まさに時間だよ！　わたしの研究が成功し、本を書き上げることができたら、すべての人に、世界中の人間に、いくらでも時間を作ってあげることができるだろうに」

「先生、ぼくにはおっしゃる意味がよくわかりません」私はいいました。

「それはつまり」と先生はいいました。「長生きのことだよ。いや永遠の生命といってもいい。スタビンズ君、もしこの世界が存在するかぎり生きられるとしたらどうだろう！　実際、月の世界ではそうなっていた。少なくともある種の生物はとても長生きしている。そうなのだ。その秘密が解けさえすれば！」

先生はご自分の大きな机の前に腰を下ろすと、つまみを回して読書用の鯨油ランプの芯を上げました。そして先生は少し難しそうな顔をされました。

「それが問題なのだ」先生はつぶやかれました。「すべてはその秘密が発見できればのことだ。わたしはこれまでの人生で十分な時間というものを持てたためしがない。今日ではほとんどみながそうだ。日に日に忙しくなるのが人生だ。わたしたちはいつも急きたてられている。そして、時間がない、時間がない、と不安になっている。死ぬ前にやりたいことが全部できるかどうか、と。しかも年を取れば取るほど、一層、不安も大きくなる。不安！　やろうと思ったことができないかもしれない不安だ」

先生は椅子に座ったまま、ふいに私たちふたりの方に振り向かれました。

「しかし、もし年をとらなかったらどうなるだろう」先生はいいました。「そうなれば永遠に若いままだ。好きなだけ時間があり、なんでもすることができる。もう二度と時間のことを心配する必要がなくなる。歴史をふりかえれば、われわれの先人の哲学者たちも科学者たちもみな常にそれを求めてきた。『若さの泉』というふうな名前でそれを呼んだ。探検家が新しい世界を発見したときはいつも、人間を永遠に若くする不思議な泉や水についての神話や言い伝えがあることを原住民から聞かされた。しかしそれは結局のところみな単なるおとぎ話にすぎなかった。しかし月の世界でわたしはそれを見た。生物は健康なまま、いつまでも生き続けていた。これこそわたしが探求してきたものだ。この地球に永遠の生命をもたらしたい。二度と時間の心配をする必要のない平和を人類にもたらしたいのだ」

するとと先生は新しい考えが浮かび、あわててそれを書き留めようとするかのように、急に机の方に向き直られました。

「先生、ぼくはマシューさんを門のところまで見送ってまいります」と私はいいました。「お願いですから、あまり遅くまで仕事をなさらないでください」

ネコ肉屋と私は、一段くらい段を降りて庭に出てゆきました。門のところに出るには、家をぐるりとまわって、書斎の窓の下を通らねばなりませんでした。私たちふたりは立ち止まって、窓の中をのぞきこみました。

ドリトル先生はもう猛烈ないきおいで何かを書きつけておられました。緑のガラスシェードがかかった小さな読書灯が、先生の真剣な、でもやさしそうな表情をやわらかく照らしていました。

「やっぱりな。先生はお仕事に夢中だ」とマシューはひそひそ声でいいました。

「いかにも先生らしいじゃないか。世の中を正しくするんだって？　まったくもってたいへんなことだ。ねえ、トミー、そうは思わんかい。おれはね、世の中を正しくしようなんて、これっぽっちも考えたことなんかないよ。世間の方がいつもおれを正しくしようとしてくれるからね。おれのいいたいことがわかるかい。永遠の生命！　まったく先生ときたらな。そんなもんがほんとに見つかると思うかい。ねえ、トミー」

「見つかりますとも。マシューさん」私も小声でいいました。「ぼくは先生を信じています。いつだって先生は一度心に決めたことは必ずやりとげられたじゃありませんか。そうでしょ」

「いやはや」ネコ肉屋はつぶやきました。「そうさな。おまえさんがそういうならよけいな心配はしないようにするよ、トミー」そこで私たちは足音を忍ばせて窓から離れました。それから暗がりの中を抜けて庭の門の方へ歩いていきました。（『ドリトル先生月から帰る』最終部分　福岡伸一新訳）

時間の有限性

どうですか。私の解釈はこうです。スタビンズ君とマシューを前に話しているうちに、ドリトル先生は、もし不老不死が実現し、永遠の生命が得られたら、いくらでも好きな研究ができるという考え方の盲点に気がついたのではないでしょうか。つまり、時間の有限性の意味を悟ったのではないでしょうか。

もし永遠の時間が与えられたら……私たちは、一切の努力をしなくなってしまうということにドリトル先生は思い至ったのです。明日死ぬかもしれないからこそ私たちは一生懸命に今日を生きようとします。でも、今日できることが明日もできるなら、人生に締め切りがなくなってしまったら、私たちは生き急ぐことをしなくなってしまいます。時間の有限性こそが今を生きるこの瞬間を生み出し、人間のすべての活動のモチベーション、生きることの根源になっているのです。先生は、このあまりにもシンプルな事実に思い至った。

それがここです。

するとと先生は新しい考えが浮かび、あわててそれを書き留めようとするかのように、急に机の方に向き直られました。

そのことを、まさに一心不乱に書き留め始めたのではないか。ここはそう読むのがほんとうではないか。そんな風に思えたのです。

そもそも生命が不老不死になることは原理的に不可能です。宇宙の大原則に「エントロピー増大の法則」があるからです。エントロピーとは「乱雑さ」ということ。この世界に存在するすべてのものごとは、その乱雑さが増加する方向にしか移動しないという原理です。秩序あるものは、すべて無秩序の方向にしか動くことができません。あらゆる形あるものは、形がくずれる方向にしか移ろいません。時間の矢もエントロピーが増大する方向にしか進みません。壮麗なピラミッドも歳月を経て、風化していきます。整理整頓（せいとん）してあった机の上もすぐに散らかってしまいます。熱いコーヒーもぬるくなり、熱烈な恋愛もやがて冷めます。これはすべて「エントロピー＝乱雑さの増大」によるものです。

生命ほど秩序だったしくみもありません。呼吸、脈拍、代謝、細胞分裂、すべて精妙な秩序の上になりたっています。しかし生命はその秩序ゆえに、絶え間のないエントロピー増大の危機に襲いかかられています。細胞膜はいつも酸化にさらされ、細胞内の構造物はたえず損傷し、タンパク質は変性し、老廃物はたまり続けます。これらはすべてエントロピー増大の法則によるものです。生命の秩序はたえず秩序なき方向へ引きたおされそうになっています。

なのに生命だけは、過去、何億年、何十億年にもわたって地球上にずっと存続してきました。本来ならば、すぐにでも無秩序になってしまうはずの秩序が、維持されています。フランスの哲学者アンリ・ベルグソンはこんな風に言っています。「生命には、物質が下る坂を登ろうとする努力がある」と。物質が下る坂とは、エントロピー増大の法則のことです。重力が万物をひっぱるように、すべてのものはエントロピー増大の坂を転がり落ちていきます。

なのに、生命だけは、エントロピー増大の法則の例外なのでしょうか。いいえ、違います。法則の例外ではなく、法則から逃れようと、絶え間のない抵抗を試みている。それが生命です。なので、ベルグソンのいう「努力」というのはあながち外れてはいません。ただし、生命は「努力」して抵抗しているのではなく、抵抗することがいわば生きていることそのものなのです。そしてその抵抗も最後はエントロピー増大の法則によって押し倒されてしまうのです。

説明を試みてみましょう。

生命は、エントロピー増大の法則の例外ではありません。その法則に反しているわけでもないのです。細胞内に不可避的に増大していくエントロピーを懸命に汲み出して、捨てる努力をしているのです。

近年の生物学が明らかにした意外な事実があります。それは細胞にとって、造ることと以上に壊すことが重要だということです。細胞はその内部で、タンパク質を絶え間なく分解しています。酸化や変性によって使えなくなったタンパク質を分解除去するだけでなく、新品同様、できたてほやほやのタンパク質でも情け容赦なく次々と分解しているのです。

タンパク質を造る方法は、DNA→RNA→タンパク質というプロセスただ一通りしかないのに、逆の工程、すなわち、タンパク質を壊す方法は幾通りもあり、どんな状況であっても壊せるように準備されていることがわかってきました。タンパク質の分解場所であるリソソーム、あるいはプロテアソームといった分解装置のしくみが解明されてきました。また、薄い膜がするすると広がって周囲を取り囲み、その内部に包み込まれた構造物を情け容赦なく破壊するオートファジーもあります。これは、2016年のノーベル生理学・医学賞を受けた大隅良典（おおすみよしのり）先生の研究です。これらすべては壊す力として働いています。

なぜ生命はこれほどまで壊すことに固執しているのでしょうか。それは、壊し続けることが生き続けるために必要だからです。たえず分解しつづけることがエントロピーを汲み出すたったひとつの道であり、新しい秩序を作り直す唯一（ゆいいつ）のしくみだからです。つまり生命は絶え間のない分解と合成の平衡の上にあるわけです。私はこれを生命の「動的平衡」という概念で捉えています。生命をして「物質が下る坂」を登り返す力は、自らを壊すところから生じているわけです。

生命体は、進んで秩序を壊している。その上ですぐに秩序を作り直している。つまりエントロピー増大の法則が襲いかかってくる前に、先回りして自らを分解し、そして合成している。この自転車操業によってかろうじて秩序を維持しつづけている。それは、ギリシャ神話に出てくる、あてどのないシーシュポスの岩運びに似ています。しかしこの岩運びも永遠に続けることはできません。細胞膜の酸化は、どれだけ膜を再生してもすこしずつ集積され、細胞内の老廃物、変性物も、いくら分解しても徐々に増加していきます。エントロピーは不可避的に増大していくのです。

やがて自転車操業はついにはエントロピー増大の法則に追い抜かされるときがやってきます。それ以上坂を登り返すことができなくなる限界があるのです。それが個体の死です。これはどうしても避けることができません。宇宙の大原則の前に、生命もひざまずかざるを得ないのです。

ただし生命はその動的平衡をバトンタッチすることを編み出しました。子孫を残すこと、あるいは細胞分裂することによって、壊しては作り直す動的平衡のサイクルをより若い個体、新しい細胞に引き継ぐのです。新しい個体、新しい細胞はそこからまた壊しては作り直す作業を開始し、坂を登り始めます。これが生命の営みです。

さて、話をドリトル先生の物語に戻しましょう。おそらく、著者ロフティングは、自らも年をとり、執筆の時間が限られていく中で、物語の着地点を考え始めたのではないでしょうか。そして、『月から帰る』の最後で、時間の有限性の意味にドリトル先生が気づくことで、とりあえず物語をいったんは終わらせることを示唆しようとしたのではないでしょうか。

時間の有限性こそが、自らにとっても、ナチュラリストとしてのドリトル先生にとっても、最も大事なモチベーションである。自然との出会いは、いつも一回限り、今この瞬間にしか起きないからこそ、ナチュラリストは、その自然の移ろいを見極めようとするのです。

これは「ナチュラリスト宣言」という本書の通奏低音にも密接に関わっています。自然を愛すること、つまりナチュラリストとして生きることと、「今を生きる」ことの意味が同じだからです。地球上で起こっているこの瞬間のことは今しか起きない。起きれば一瞬で消えてしまう。生命に有限性があることが、自然を自然たらしめています。ナチュラリストは、時間の有限性の貴重さに気づくからこそセンス・オブ・ワンダーを感じるわけです。今を生きていない人には、センス・オブ・ワンダーは感得できないのです。

私はドリトル先生の物語を深読みしすぎているのかもしれません。でも『月から帰る』のラストシーンは、ある種の哲学的な結論に達しているように思えてなりません。この物語は、ここで児童文学の枠組みを超えて、ドリトル先生の人生、スタビンズ君の人生、そして著者ヒュー・ロフティングの人生が重ね合わされているように思えます。

みんなそれぞれが、自分なりに時間の有限性の意味に気がつくのです。その中で、永遠に生きようなんて、とんでもないことだということを最初から一番よくわかっているのが、教養も学歴もないマシュー・マグなのです。「おれはね、世の中を正しくしようなんて、これっぽっちも考えたことなんかないよ。世間の方がいつもおれを正しくしようとしてくれるからね」と冷めたいいかたをします。マシュー・マグこそが最高の哲人であるわけです。このユーモアのセンスもまた、ドリトル先生の物語を際立って優れた文学作品にしているといえます。

思えば過去百年、どれほどたくさんの書物が書かれては消えていったことでしょうか。いかに多くの物語が生み出されては忘れ去られていったことでしょうか。

そんな中にあって、ドリトル先生の物語は、世界中の読者に愛され、今も読みつがれていっています。ドリトル先生の物語は、時間の試練に耐え、エントロピー増大の法則に打ち勝って、こうして存続しているのです。これこそが、ドリトル先生が探し求めていたものです。そしてこの事実は、ドリトル先生にとっても、スタビンズ君にとってもマシュー・マグにとっても、そして著者ヒュー・ロフティングにとっても——みな、その生命はこの世から消え去っているものの——輝かしい勝利なのです。

生命は有限だからこそ、生命が残した足跡、生命が刻んだ記憶は無限に生き続ける可能性があるのです。

第8講　「始まりと終わり」を知る

時間軸を知るための近道

　私は図鑑が好きでした。図鑑は、生命の地図のようなもの。田淵行男さんの言葉ではないのですが、そこには「地史」があります。空間の広がりとともに時間軸も備わっています。それは因果関係ということでもあります。

　単なるものしり博士だったら、図鑑に出てくる昆虫に関して、「これはAである」の「A」について、インターネットで検索してピンポイントで答えが出てきます。ですが、その知識は、どこまでいってもバラバラで次の思考に繋がりません。それを教養として、その人の中に物語を作るには、時間軸を持つことがどうしても必要なのです。

　今、多くの人が時間を割いているネットでは、個別の情報は得られたとしても、なぜそうなったかはわかりません。ものごとの成り立ちがわからないと、知識というのはいかせません。あることがわかって初めて次のことがわかり、それがわかってまた、その次がわかるのです。

「何々とは？」と問われるとインターネットは答えるけれど、時間軸に沿って人間の知識がどう構築されたかは教えてくれません。それを教えてくれるのはパッケージになった本の役割だと思います。著者の時間、著者の書いた物語という「時間」が閉じ込められたものだからです。

本に「まえがき」や「あとがき」があり、始まりと終わりがあるのは、時間がそこに流れているからです。インターネットには始まりも終わりもないから、時間の観念が入る余地が少なくなります。ですが、時間を感じるためには、始まりと終わりを知ることが必要です。本というパッケージは一つの時間の流れをかたまりで伝えてくれます。本を読むことは、その中に書いてある知識だけではなく、その本を書いた人の思考のプロセス、つまり学びの時間軸がまるごと入ってくることです。その時間の流れを味わうことで物語や因果関係を学ぶからこそ、意味がある。

人が本を読まなくてはいけない理由はそこにあるのでしょう。科学を学ぶためには科学史を学んだ方が有効です。発見のプロセスが学べるからです。『せいめいのれきし』の英語の原題は『Life Story』ですが、Story とは時間で現れてくるものです。

ネットに足らないものは時間軸なのです。

生命を教える一冊として

生命を知るには時間軸が必要だと私に気づかせてくれたのがこの『せいめいのれきし』というバージニア・リー・バートン（1909〜1968）の絵本です。私の少年時代からの愛読書です。内田樹、川上弘美、朝吹真理子、養老孟司の四氏との動的平衡をめぐる対談集を出したのですが、タイトルを『せいめいのはなし』（新潮社）と題してオマージュしたこともありました。

この絵本では宇宙がはじまって生命が地球に登場して以来、現在に至るまでの生命の時間軸を追えます。本自体がよくできていて、見開きで、一つの時代を一つの舞台に芝居仕立てにしています。プロローグ6場と本編が5幕28場あり、最初は天文学者だった舞台のナレーターは、地質学者、古生物学者、歴史家、おばあさんと次々と入れ替わっていきます。

そのナレーターの身体の大きさがそのページにおける縮尺をはかる単位軸にもなっています。つまり、その時代の主役になる生物は真ん中に描かれていて、人間を基本単位としたらその大きさが比較してわかるというわけです。

まず、無脊椎（むせきつい）動物や藻類（そうるい）が誕生しました。その後登場した魚は脊椎動物で背骨を作り出した最初の動物なので我々の大祖先です。後に現れた昆虫のすごさはといえば、内側に骨を作らずに外側に骨を作ったことにあります。外骨格ということです。ここまでが1幕の5場です。こうして、昆虫が現れてから3億年ぐらい経過していきますが、それぞれの生命の環境や登場する意味が連ねられて、手に取るようにわかります。この時間軸を描く表現も優れていますが、デザイナーとしてレイアウトや見せ方の面でも、このバートンさんは素晴らしいのです。

１９０９年、アメリカのボストン近郊で、マサチューセッツ工科大学の初代学部長の父と、イギリス出身で父より20歳以上年下の詩人の母の間に、生まれました。母親は、子どもの健康に良い気候を求めて西海岸、カリフォルニアに移住し、バージニアは芸術家の多いのどかな海辺の町で絵を描いたりダンスを習ったりしながら明るく育ちます。父親は退職後に合流しますが、母親は、24歳年下の若い男性と恋に落ちて家を出てしまいます。

家族にそのことが与えた影響はいかほどだったか。バージニアは別の家に預けられて高校を卒業、サンフランシスコの美術学校へ進学しながら同時に、ダンスを続けたようです。ダンサーになることを夢見てニューヨークに出るも、お父さんの足の骨折で東海岸の実家で面倒を見るようになります。ダンサーの夢はあきらめ、スケッチを描く仕事を得て、ボストン美術館の素描のクラスで再び絵を習いはじめます。その先生が、夫となる彫刻家でした。

結婚後、夫とともに、フォリーコーブという、北東部ニューイングランド、マサチューセッツ州の自然の豊かな半島に移り住み、バージニアはここで生涯を過ごします。大恐慌(だいきょうこう)の時代にも、畑仕事や羊を飼うことで日々の暮らしをまかない、野外パーティなど楽しんだようです。やがて、このパーティは、地元の社交の場になっていくのでした。

そして、生まれた男の子ふたりのため、彼女は絵本を描き始めるのです。2017年～2018年にかけて、バージニア・リー・バートンの展覧会が日本の各地で開かれ大盛況となっており、いまだに人気があるのです（それに合わせて刊行された『ヴァージニア・リー・バートンの世界』〈ギャラリーエークワッド編、小学館、2018年〉には、彼女の生涯と作品がまとめられていますので、参考にしてください）。

彼女のデザインセンスに惹(ひ)かれると書きましたが、フォリーコーブの人たちもそうだったようです。バージニアは子どもにバイオリンを教えてもらう代わりにデザインを教えることになり、他のご近所さんたちにもせがまれて、デザイン教室を地元で始めます。生徒の多くは子持ちの主婦で、戦時下のもの不足の中、自前で染物をしたりカーテンを手作りしたり、そのうちに「フォリーコーブ・デザイナーズ」というグループを結成してビジネスも始めるのでした。

1880年代から、イギリスでウィリアム・モリスがはじめた、生活と芸術を一致させようという、アーツ・アンド・クラフツ運動の影響もあり、雑誌で紹介されるなど、このグループの作品は人気を博し、グループの指導者的な立場として、彼女は活躍します。地元の海や風景を生かし、どこか底抜けに明るい、毎日の生活が表現されたデザインは新しいアメリカのイメージと重なっていったのです。

時間を表現すること

そのバージニアの絵本に、『ちいさいおうち』（1942）があります。その主役である小さなお家はまさに彼女が住んでいた家です。豊かな自然の中にあったお家が、いつの間にか時間とともに、都市開発をされ変貌（へんぼう）する周囲の中で異質な存在になっていく。そんな100年近い時間の流れを、移り変わる環境と変わらぬ家の姿との対比で伝えます。

この作品で彼女は翌年のコルデコット賞という、絵本に授与される有名な賞を受賞しますが、そのスピーチでこう言っています。

「太陽が昇り沈んでいくことで1日を、月が満ち欠けることで1カ月を、四季が移りゆくことで1年を、表現しています」と。

彼女にとって、自然はデザインの無限の宝庫なのだとよくわかります。自然の中にさまざまなメッセージを見つけていくのです。『せいめいのれきし』では、38億年という時間とともに、虹が重なっているかのように絵が重なって、時間が絶えず続くことが表現されています。

そんな彼女が最後に手掛けたのが『せいめいのれきし』です。8年かけて書いたそうです。このすごい名作の改訂版に、何度も書きますが、恐竜学者の真鍋真さんの名前が監修者として入っています。鳥の祖先が恐竜であるなど、恐竜に関することは学問的に新たな発見が数多いので、その知見を加えて改訂版が刊行されました（細かい点は、真鍋先生の『深読み！　絵本「せいめいのれきし」』〈岩波書店〉にあります）。

刊行された1962年から長い時間が経ち、新たな学問的な知見が出てくるのは当たり前です。とはいえ、その当時の本が今なお読み継がれているのは当たり前ではありません。こうして改訂できるのも、本の表現や設定そのものが優れているからにほかならないのです。

バートンの『せいめいのれきし』がすばらしいのは、その中を突き抜けていく時間軸が、宇宙の創成から始まり、地球の形成、そして生命の誕生・進化をたどって、最後は現在の私たちの暮らしに至ることです。バートンはニューヨークのアメリカ自然史博物館に通いつめ、8年に及ぶリサーチを行った結果、その一大生命絵巻を完成しました。本の最後に描かれている博物館は、そのアメリカ自然史博物館の断面図です。ここでも博物館が知の集積地として役立っているのです。水平ではなく垂直に、時間軸を貫いてくれたのだ、と私はそういう本として読みました。ナチュラリストになるためには自分の中にこの時間軸を持たないと何もできません。

そして、最終章に出てくる農村の一軒家は、米国入植者の時代から受け継がれたボストン郊外のバートン自身の住まいがモデルになっているとされています。ここでバートンは暮らしてきました。物語の最後の頁（ページ）には時間の流れを表すらせん状のリボンとともに次のようなメッセージが書かれています。

さあ、このあとは、あなたのおはなしです。主人公は、あなたです。ぶたいのよういは、できました。時は、いま。場所は、あなたのいるところ。いますぎていく1秒1秒が、はてしない時のくさりの、あたらしいわです。いきものの演じる劇は、たえることなくつづき——いつもあたらしく、いつもうつりかわって、わたしたちをおどろかせます。（バージニア・リー・バートン著、いしいももこ訳）

どうですか。読んでみて気づかれましたか。バートンの最後の言葉、それは「おどろき」です。生命の精妙さ、自然の美しさに対する驚き。それはつまり、センス・オブ・ワンダーということにほかなりません。ナチュラリストの思いは最後はここに行き着くのです。

ただ、ナチュラリストというのは、特別の存在ではありません。必ずしも職業的なものともいえないでしょう。誰もが本来はナチュラリストなのです。自然に驚き、その美しさに触れて、言葉にする。すべての人の人生を、豊かなものにしてくれる、そんな「目」を持つことなのです。

ナチュラリスト宣言

最後に語っておくべきことがある。ナチュラリストをめざして迷いながらも、道草をくいながらも、なんとか歩んできた自分自身のあり方についてだ。宣言というのもおこがましいが、今後の方向を明らかにしておきたい。

ドリトル先生の物語を初めて読んでから、私の上にもすっかり長い年月が降り積もっている。私もかつてのスタビンズ君と同じように、ドリトル先生のような生物学者になりたいと心に誓った。そして、ドリトル先生のように、世界の美しさや豊かさに耳を澄ませたいと願った。

以来、私は生命を探究してきた。いや、探究しているつもりでいた。大発見をすることは私にはできなかったけれど、小発見はいくつかできた。細胞の中に新しい分子や遺伝子を見つけ、名づけ、機能を解析した。つまり新種の遺伝子をいくつも「書いた」。新種の遺伝子を採集することに、それこそ取り憑かれていた。

しかし、そのために私はいったい何匹のネズミたちを殺しただろう。千匹？　いや一万匹？　自ら殺しただけでなく、学生に命じて殺させた数も入れればそれ以上になる。生命を探究しているはずなのにもかかわらず、あまりに多くの生命を殺め、死を詮索してきた。つまり私は自然に耳を傾けるのではなく、耳をふさいで、目をつぶったまま一心に剝製を作りつづけてきたのだ。生の物語に耳を澄ませるのではなく、死を網羅する。フェアネスのありかを探るのではなく、生命を、組み換え、制御し、占有する方法を求める。知らず知らずのうちに、時代の系統発生の流れに流されて、私もまた、不可避的に、ドリトル先生ではなく、ウォルター・ロスチャイルドの道を進んでいた。つまり、ピュシスを愛するナチュラリストではなく、ロゴスに固執するナチュラリスト。学問とは本来、ロゴス的な解析と分解と分節化の営みだ。

First you skin it.

私の指先には、蛹から出てきたばかりの蝶の胸を圧したときの感触が残っている。麻酔したネズミの腹の正中線に、手術用のはさみの切っ先を入れて皮膚を裁断する瞬間の感触が宿っている。死の詮索。それは決して拭い去ることができない。

Then you build a new body.

ネズミを切り刻み、細胞をこじ開け、遺伝子を切り貼りして、世界を分けて分けて分けていった。蝶たちの、あるいはネズミたちの死と引き換えに、私が書いた世界とはいったい何だったのだろうか。剝がれた皮膚の中に、私がうめこんだニューボディによって一体、世界の何が記述できたのだろう。それはニューボディが、実は、竹ひごと棒と針金でできた、偽の骨組みであるのと同様、単純化されすぎたモデル図にすぎなかった。

Next fit the skin back on eyeball to eyeball.

確かに私は新しい遺伝子を見つけ、それに名づけた。マウスやラットを使って幾度となく実験を繰り返し、いくつも論文を書いた。つまり取り出した遺伝子に、想定される機能をかぶせてみたのだ。遺伝子のごくわずかな働きの一部をそう見なしただけだ。そして遺伝子配列をデータベースに登録した。ささやかながらそこには私の名前が記されている。

Finally make the exhibition label.

しかし今では、剝製につけられたラベルと同様、何十億塩基対のゲノム情報の澱の中に黄ばんだまま、すっかり静かに沈んでしまっている。見る人はほとんどいない。

それは博物館の冷たい金属製のキャビネットに収蔵された膨大な標本箱の中に眠る今や朽ちかけの標本に似ている。私が「書いた」はずの新発見とは何だったのだろう。

正確に系統発生を踏襲しながら進んできた、私の個体発生の過程のなかで、最初にあったもの。そして今は消えてしまったもの。それは私のセンス・オブ・ワンダーである。図書館の狭い部屋で初めてアレクサンドラトリバネアゲハの存在を知ったとき、その美しさに打たれた。確かに私はそこから出発したはずだった。

私はいろいろなことを調べた。たくさんの場所に行った。ごくわずかずつしかない体液を何百匹ものラットから集め、極微量のサンプルを抽出した。試験管の底にこびりついた目には見えない試料を分析して、アミノ酸配列を解読した。長い時間を費やして、何百万もの候補の中から新しい遺伝子を探し出した。思わしくない結果を前に、何度も何度も実験を繰り返した。うまくいかない可能性を何通りも考えた。ひとつひとつをしらみつぶしにチェックした。その一操作を行った場合と行わなかった場合をいちいち比較した。月日は瞬(またた)く間に経過した。私は閉館前の図書館の一室で見たもののことなどすっかり忘れていた。でも、この長い時間の中で、ずっと私と私のあてどない営みを支えてきたものは、最初にあったものだったのだ。

ドリトル先生は、私をずっとひそやかに支えていてくれた。ドリトル先生の物語は長い年月を経て、その細部はすっかり忘れてしまったにもかかわらず、たゆまず私を鼓舞し続けてくれていた。それが今になってよくわかる。ドリトル先生は、私にとってかけがえのないセンス・オブ・ワンダーそのものだったのだ。

このあと私が行わなければならないことは、なんとかその場所を見つけ、すっかり降り積もった埃（ほこり）をぬぐい、すでにくすみつつあるその表面にそっと触れること。そして、分け続け、切り刻んで見つけたものを、もういちどひとつずつつなぎ直すこと。このあと私が取り戻さねばならないものは、ガラスで作られた目ではなく、ほんとうの光を宿した生きた生物の目。

The eyeballs are the eyeballs.

私は今でもスタビンズ君なのだ。私たちはともに、ドリトル先生に憧（あこが）れ、ドリトル先生のようになりたいと願った。でも、私たちはいずれもドリトル先生になることができなかった。それでも私たちは今、もういないドリトル先生を想（おも）い出すことができる。ドリトル先生が目指したはずの道を探しなおすことができる。

その思いが、今、もういちど私に、ドリトル先生の物語を読ませ、新たに翻訳させることになった。私をして、スタビンズ君が座ったパドルビーの町の川岸の石段の角、つまり彼の原点を探させることになった。そのようにして見つけた場所に、私も腰をおろしてみた。足をぶらぶらさせながら。

行き交う船。岸につながれたボート。荷揚げのクレーン。教会の尖塔(せんとう)の向こうには雲がわき上がっていた。遠くの空へ飛びさる鳥。なにもかもが全く昔のままだ。ちゃんとここにスタビンズ君はいたのだ。川面(かわも)をわたってくる風に吹かれて思った。

そろそろ私は分子生物学者をやめるときかもしれない。そして、私がほんとうに好きだったはずの生物学者に戻るときがきたのかもしれないと感じた。いまからでも本来のナチュラリストに戻ることができるだろうか。

私は、理工学部の自分の研究室を閉じることを具体的に考え始めた。ネズミを殺し、細胞をすりつぶしていた実験室を整理し、その看板を下ろすのだ。簡単なことではない。ここで学んでいた学生たち、一緒に研究を進めてくれた大学院生たちを路頭に迷わすわけにはいかない。彼ら彼女らの卒業・修了を見届けると同時に、来年度以降、新たな学生の募集を停止する必要がある。研究室を切り盛りしてくれた助教の先生の再就職先を見つけてあげる必要もある。入念な準備と時間が必要となる。

さて、私自身はどうすればよい。実験的にではなく理論的に、分析的にではなく統合的に、生命のことを考える場所が得られればよいのだけれど……

若い学生で、数学や物理が得意だったばかりに、理系の学部に進学したまではよかったものの、入ってみると自分の適性や将来に悩み、あるいは新たな関心や展望を得て、進路を大胆に変更する学生がたまにいる。物理学科から哲学科に、電子工学から社会学に、といった具合だ。これを俗に「文転」という。理系から文系に転じることだ。しかし、学生が文転することはあっても、先生が文転することなどありえるだろうか。ええい、ままよ。やってみることにした。もちろんこれにも準備と時間が必要だ。大学の諸先生と関係の方々に多大なご迷惑をおかけしながらも、ご支援とご厚意を得て、私は、理工学部から同じ大学内の総合文化政策学部というところに移籍することになった。ここは少し前に作られた新設学部で、入試で数学を受けなくてもいいので文系型学部といえるが、教員の出自は、文学、経済、経営、国際、社会、工学、音楽、建築など多彩で、文理融合型学部といってもよい。その一隅に私はなんとか暖かく迎え入れられた。大きな地震が日本列島を襲った年の春のことだった。

こうして、私は新しい思索の場を得た。

ノーベル物理学賞を受賞した朝永振一郎がかつてこんなことを書いている。

物理学の自然というのは自然をたわめた不自然な作りものだ。一度この作りものを通って、それからまた自然にもどるのが学問の本質そのものだろう。しかし、これでとらえられない面がものごとにはあるにちがいない。

活動しゃしんで運動を見る方法がつまり学問の方法だろう。無限の連続を有限のコマにかたづけてしまう。しかし、絵かきはもっと他の方法で運動をあらわしている。

吾々は物ごとを有限の概念にかたづけてでなければ物が考えられないくせがついてしまった。しかしこれは何といっても無理にかたづけたものであるから、本ものそのものではない。(「滞独日記」)

この言葉はずっと私の頭の隅に、水底に沈んだ石のように留まっている。自然は本来、混沌、無秩序で、常に変化し、しかもそのたびに異なる一回性のものだ。それをモデル化し、数式に置き換え、再現性のある法則とするのが物理学だ(科学一般、と言い換えてもよいだろう)。しかし、それは自然を無理矢理そうみなして(……)いるにすぎない。その自覚を持つのがほんとうの科学者のはずだが、多くは自然を分解・分析・定式化することに夢中で、本来の自然に戻ることを忘れている。

活動写真で運動を見る方法、無限の連続を有限のコマにかたづけてしまう方法。まさにそれこそが、生命の時間をとめて、その静止画の中で、AI的なアルゴリズムで因果律を説明しようとする機械論的な生命観にほかならない。標本を並べ記名すること。遺伝子を解読してデータベースを作ること。これはすべて自然をためた不自然な作りものなのだ。

私がすべきこと。本来の自然であるピュシスを希求するナチュラリストたりうるとするなら行わなければならないこと。それは、ためられた自然を、一度この作りものを通って、それからまた本来の自然に戻すこと。科学による分断・分節化を回復し、そこからこぼれ落ちたものを統合すること。

回復・統合のためのキーワードが「動的平衡」の生命観である。第7章で書いたとおり、生命は絶え間のない分解と合成の最中にある。そして生命の「今」は、その相反する作用の、あやういまでのバランスの上にあり、たえず揺らぎ、動いている。そこにあるのは、パラパラ漫画一枚一枚の静止画像ではなく、その薄い紙には、豊かな厚みがあり、時間の広がりがある。分解は次の合成を先回りして行われており、合成はあらかじめ次の分解を予定して行われている。つまり未来が現在に引き込まれると同時に、過去もまた現在に呼び込まれている。微分的な微小の静止点の集合ではなく、空間的な広がりをもったなめらかな流れこそが生命の時間である。生命は自らをこの流れの中においている。この時間が回復されなければ、生命の本質はつかめない。

だから、朝永振一郎の言明を、私は次のように言い換えておこう。

機械論的な生命観は、生命をたわめた作りものだ。いったんはこの作りものを通らない限り、生命の細部を見極めることはできない。が、しかし、大切なことはこのロゴス的な作りものを通り抜けて、もういちど本来のみずみずしいピュシスに満ち溢(あふ)れた自然に戻ること、つまり動的平衡の生命観に回帰することが学問の本質そのもののはずだ。これをもって私のナチュラリスト宣言としたい。

ナチュラリストになるためのガイド

本書に登場した書籍やおすすめの博物館などを、編集部から簡単にご紹介しておきます（詳細や最新情報は、ホームページなどでご確認ください）。

「読んでみよう」編（文中登場順）

「ドリトル先生」シリーズ（ヒュー・ロフティング著）
『ドリトル先生航海記』（福岡伸一訳、新潮社）で、筆者が頭をひねった翻訳を味わってみてください。ほか、手に入りやすいのは文中でもご紹介した岩波少年文庫版全12巻（13冊）です。順番に、『ドリトル先生アフリカゆき』『ドリトル先生航海記』『ドリトル先生の郵便局』『ドリトル先生のサーカス』『ドリトル先生の動物園』『ドリトル先生のキャラバン』『ドリトル先生と月からの使い』『ドリトル先生月へゆく』『ドリトル先生月から帰る』『ドリトル先生と秘密の湖』（上下巻）『ドリトル先生と緑のカナリア』『ドリトル先生の楽しい家』（すべて井伏鱒二訳）です。他に番外篇で『ガブガブの本』（南條竹則訳、国書刊行会）もあります。

『センス・オブ・ワンダー』 レイチェル・カーソン著、上遠恵子訳、新潮社
『原色図鑑　世界の蝶』 中原和郎・黒沢（澤）良彦著、北隆館
『高山蝶』 田淵行男著、朋文堂
『生物の世界』 今西錦司著、講談社文庫
『チョウはなぜ飛ぶか』 日高敏隆著、岩波書店
『微生物の狩人』（上下巻）ポール・ド・クライフ著、秋元寿恵夫訳、岩波文庫

『どくとるマンボウ昆虫記』北杜夫著、新潮文庫

『せいめいのれきし　改訂版』バージニア・リー・バートン著、いしいももこ訳、まなべまこと監修、岩波書店

『小さな骨の動物園』盛口満・西澤真樹子・相川稔・安田守・安部みき子・瀬戸山玄著、大西成明写真、LIXIL出版

『マレー諸島　オランウータンと極楽鳥の土地』（上下巻）アルフレッド・R・ウォーレス著、新妻昭夫訳、ちくま学芸文庫

『ウィニー・ザ・プー』A・A・ミルン著、阿川佐和子訳、新潮文庫

『クマのプーさん』A・A・ミルン著、石井桃子訳、岩波少年文庫

『プーと私』石井桃子著、河出文庫

『せいめいのはなし』福岡伸一対談集、新潮文庫

『ヴァージニア・リー・バートンの世界』ギャラリーエークワッド編、小学館

『ちいさいおうち』バージニア・リー・バートン著、いしいももこ訳、岩波書店

『深読み！　絵本「せいめいのれきし」』真鍋真著、岩波科学ライブラリー

「滞独日記」（『朝永振一郎著作集　別巻2　日記・書簡』所収）みすず書房

「行ってみよう」国内編

1　国立科学博物館（東京都台東区、茨城県つくば市）文中で何度もご紹介した日本随一の科学博物館。一般の方は上野の本館へどうぞ。

2　田淵行男記念館（長野県安曇野市）昆虫の生態を研究しつつ、自然写真家としても活躍した田淵行男さんの作品を7万3千点収蔵する記念館です。チョウの細密画などもあり、信州安曇野の自然を味わいながら堪能(たんのう)できます。

3　学校法人城西大学　水田記念博物館　大石化石ギャラリー（東京都千代田区）美しい空間で標本を見学できるのはもちろん、化石割り体験などワークショップへの参加もできます。永田町駅、麹町駅、半蔵門駅のいずれからも徒歩5分で、交通の便も良いです。

4　いわき市アンモナイトセンター（福島県いわき市）施設は、およそ8900万年前のアンモナイト等の化石が、集中して発見された地層の上に建っており、すぐ横には屋外体験発掘場があります。展示のうち、約700平方メートルに及ぶ露頭観察ゾーンは圧巻です。

5　神奈川県立生命の星・地球博物館（神奈川県小田原市）46億年におよぶ地球史を、恐竜から昆虫まで、生物標本で時間とともに追いかけていける常設展示でわかりやすく学べます。箱根登山鉄道の入生田(いりうだ)駅からすぐ。

6　福井県立恐竜博物館（福井県勝山市）カナダのロイヤル・ティレル古生物学博物館、中国の自貢恐竜博物館とともに、世界三大恐竜博物館のひとつです。なんと全身骨格だけでも44体あり、見上げたり潜ったり見下ろしたり、と縦横無尽に観察できる充実ぶり。実は福井は恐竜（の骨格標本）の産地でもあり、地元の展示コーナーに見応えあり。イベント学習も盛んで、小学生が大発見をしたことも。

7　名和昆虫博物館（岐阜県岐阜市）ギフチョウの発見で知られる名和靖によって、昆虫学の発展、害虫・益虫の研究による農作物増産のためにつくられた財団法人名和昆虫研究所。その付属施設として、1919（大正8）年に開館した現存する国内最古の昆虫専門博物館です。ギリシャ神殿風切妻造りで白タイル貼りの建物は、趣があります。

8　多摩動物公園　昆虫園本館（東京都日野市）豊かな自然の残る園内で、300種以上の動物がのびのびとしている多摩動物公園。中にはいくつか特徴別に分けられている施設があり、そのひとつが昆虫園本館です。同じ敷地内の昆虫生態園では、色とりどりの蝶が飛び交う中を散策できます。

9　群馬県立ぐんま昆虫の森（群馬県桐生市）45ヘクタールの広い敷地に、雑木林や里山を再現し、そこに棲む昆虫をじっくりと観察できる、昆虫をテーマにした観察体験型施設です。観て、触って、動いてみる。そんな体験プログラムも充実しています。

10　伊丹市昆虫館（兵庫県伊丹市）西日本の情報が少なく申し訳ないのですが、こちらはオススメです。おだやかな池のほとりにあり、人気の「チョウ温室」ではおよそ14種、1000の蝶を間近に見られます。

11　ムシテックワールド／ふくしま森の科学体験センター（福島県須賀川市）屋外のビオトープ、エコファミリーハウスをはじめとして、緑豊かな地でぞんぶんに体を動かして、楽しく昆虫について学べます。館長は養老孟司さん。ミニ実験からフィールドワークまで、プログラムの充実ぶりが抜群です。

12　花パークフィオーレ小淵沢　昆虫美術館（山梨県北杜市）塚田悦造氏が約30年かけて収集した、およそ1万ケースに及ぶ昆虫コレクションを持ち、蝶や蛾を中心にそのうち6000から7000を常設展示していましたが、現在は閉館。他、八ヶ岳周辺のものから世界の珍しい昆虫まで、すばらしいコレクションを見られました。

13　むし社（東京都中野区）虫好きのミラクルワールド！　昆虫採集関連グッズや標本を売る店舗にいると時を忘れます。オンラインショップも充実しています。むし社は「月刊むし」の発行や、各種関連書籍の刊行で知られ、昆虫関連情報の集積地と言えるでしょう。

14　昆虫文献　六本脚（東京都千代田区）自然・昆虫関係の学術書や図鑑から同好会誌まで、そして採集用品や、標本のための箱、薬品、標本そのものも販売しています。千代田区三番町の店舗はもちろん、オンラインショップも便利です。

15　志賀昆虫普及社（東京都品川区）昆虫採集のためのグッズ、標本作成や観察のための道具を販売しています。創設者の志賀卯助さんは、〝昆虫採集〟ブームの産みの親といっても過言ではありません。ご興味のある方は回想記『日本一の昆虫屋　志賀昆虫普及社と歩んで、百一歳』（文春文庫ＰＬＵＳ）を。

16　鳥海書房（東京都千代田区）文中にも何度もご登場いただいた、動植物や昆虫に関する書籍を扱う、神保町の古書店です。ここでの「出会い」から、研究の道に入ったという人もいるそうです。

17　悠久堂書店（東京都千代田区）神保町に店舗を構える１９１５（大正４）年創業の老舗古書店。美術展のカタログなどが売れ筋とのことですが、山、動植物関連の書籍の扱いも多く、福岡ハカセはこちらでもそうとう御世話になっているとか。

「行ってみよう」海外編

1　イギリス　大英自然史博物館&ダーウィン・センター（ロンドン）本書でも訪れた、世界有数の自然史博物館です。展示方法も最新技術を駆使し、「伝えよう」という意志に満ち溢れています。ダーウィン・センターにはアレクサンドラトリバネアゲハの完模式標本があり、バックヤードの研究施設も世界最高クラスです。

2 イギリス　大英自然史博物館トリング分館（トリング）文中でも触れた、ウォルター・ロスチャイルドの博物館。剝製技術に優れており、標本の中には、絶滅した鳥類や哺乳類のものも数多くあります。クアッガ（シマウマの一種）、フクロオオカミ、オオウミガラスなどは必見です。姪で生物学者のミリアム・ロスチャイルドが評伝『Walter Rothschild』を書いていて、おもしろい一冊です（未邦訳）。

3 イギリス　オックスフォード大学自然史博物館（オックスフォード）ルイス・キャロルがこの博物館の標本から想像力を搔き立てられて『不思議の国のアリス』を書いたことで有名です。恐竜の骨格標本から絶滅したドードーの標本まで、ユニークな展示が見られます。19世紀のネオ・ゴシック様式の建物自体も見所です。

4 アメリカ　アメリカ自然史博物館（ニューヨーク）バージニア・リー・バートンが『せいめいのれきし』で描きました。最近では映画『ナイト ミュージアム』の舞台といってもよいかもしれません。映画にも登場しますが、ネイティブ・アメリカン関連の展示やバロサウルスの骨格標本など、何度行っても飽きることがありません。

5 アメリカ　フィールド自然史博物館（シカゴ）人類学、動物学、植物学、地質学と多岐にわたる展示で、特に恐竜の骨格標本はアメリカで発掘されたものが多く、定評があります。1階の展示フロアにある、ティラノサウルス「スー」には瞠目させられることでしょう。

6　アメリカ　スミソニアン国立自然史博物館（ワシントンＤＣ）アメリカの首都、ワシントンＤＣ市内と周辺にある科学、産業、技術、芸術、自然史などの博物館や教育研究機関、19施設の集合体「スミソニアン博物館」のひとつです。運営するスミソニアン協会の収蔵コレクションは1億5千万点にものぼるとか。

7　カナダ　ロイヤル・ティレル古生物学博物館（アルバータ州ドラムヘラー）世界三大恐竜博物館のひとつで、展示も弩級（どきゅう）ですが、研究教育機関としても名高いところです。交通が不便で、自動車でないと行けないのですが、カルガリーなど大都市からツアーも多く出ているようです。

解説

森田真生

どれほど運命的な出会いも、あることもないこともできたはずだという意味で、根本的な偶然性を孕む。あのときあの本を手に取っていなければ、あの人に声をかけていなければ、あるいは、あの決断をしていなければ、人生はまったく違っていたかもしれない。だが、運命が枝分かれするその瞬間は、あまりにもさり気なくやってくる。運命が変わったのはあのときだったと、覚るのは出来事のずっと後だ。

閉館前の図書館で、シンイチ少年はいつものように書庫を探検していた。この日はなぜか、図書館のそれまで入ったことのない一室にふらりと足を踏み入れてみた。そこで彼は、偶然一冊の本を手に取った。そして、息をのんだ。

『原色図鑑　世界の蝶』――図鑑には、目もくらむような色鮮やかな蝶の図版が並んでいた。この日以来、図書館に行くと、必ずこの本のもとに直行するようになった。そして息をひそめ、あまりにも美麗な蝶たちの姿を眺めた。

図書館での静謐な時間。新しい物語が動き出していく予感。少年と本との出会いの瞬間――だが少年は、自分がこの日のことを何年も後にまた想い出すことになるとは、思っていなかったに違いない。蝶の姿をただ夢中で見つめ、いつか「本物を見たい」と期待に胸を膨らませていた。過去を想起する逆向きの時間のなかで、私たちは未来を憧憬する少年の眼差しに出会う。

「想い出す」ことは、単に想起することではない。積み重ねられた時間の厚みのなかで、偶然に新たな意味を吹き込むことである。哲学者の九鬼周造は、「運命とは偶然の内面化されたものである」と言った。偶然を偶然のままにせず、これを大切なものとして内面化していく時間の果てに、運命は運命になっていくのだ。

過去を想い出し、物語るという行為が、本書全体を貫いている。これは福岡伸一が最も敬愛するナチュラリスト「ドリトル先生」の物語に共通する時間の構造である。

シンイチ少年とドリトル先生との出会いも図書館だった。放課後の図書館で、岩波少年文庫版の『ドリトル先生航海記』がたまたま目に留まった。読み始めるとたちまち吸い込まれていった。

シリーズ第二作の『航海記』から登場するトミー・スタビンズ君に、シンイチ少年は自分の存在を重ねていった。すっかりスタビンズ君になり変わって、少年はみずからドリトル先生とめぐり会ったのである。

スタビンズ君とドリトル先生の出会いはいくつもの偶然の賜物だった。当時は九歳半で、生き物が大好きだったスタビンズ君は、ある日散歩していると、鉤爪でリスを捕まえているタカに出会した。少年の姿に驚き、慌ててタカは飛び去っていたが、リスは大怪我をしていた。親友に相談したところ、リスの命を救えるとすれば「ハクブツ学者」のジョン・ドリトル先生しかいないと言われる。

スタビンズ君は、ハクブツ学者を探し始める。だが、ちょうど旅に出ていたドリトル先生は、いつ帰ってくるかわからなかった。

一週間が経ち、このままリスが死んでしまうのではないかと心配し始めた頃、どしゃ降りのなか家へ駆けるスタビンズ君の頭が「やわらかいもの」にぶつかる。それは「見るからにやさしそうな顔をした小太りの小柄な男の人」だった。ドリトル先生が旅から帰ってきたのだ。

スタビンズ君の登場が、ドリトル先生の物語に「思いがけないほどの深みをもたらすことになりました」(六四頁)と福岡は書く。三人称で綴られていた第一作に対し、第二作からはスタビンズ君の一人称の視点で物語が語られていくのだ。それは、少年だった時から、長い長い歳月が流れ、年老いたスタビンズが、「記憶を想起する」という形で紡いでいく物語である。

実は、ここにドリトル先生の物語の秘密があるのかもしれないと私は思いました。そこはかとない抒情と追憶の念がたえず通奏低音のように流れているのは、すべてが「私」にとって、ずっとずっと昔の過去の記憶だからですよね。(二一二頁)

優しいドリトル先生とも、家族たちとも二度と会えない場所から、かつてそこに当たり前にあった偶然が語られていく。時間が、偶然を美しくするのだ。

本書を読みながら、私は何だか、不思議な気持ちになった。様々な時間軸が交わる物語を読んでいるうちに、なぜか自分もまた、未来のどこかから、想起されているような気持ちになった。何気ないと思っている目の前のこの瞬間も、どこか別の場所から見れば、一つの奇跡的な偶然かもしれない。現在という偶然に対する驚きと畏敬の気持ち。いまを生きるという経験の「センス・オブ・ワンダー」をあらためて感じた。

本書のもう一つの重要な主題は「翻訳」である。著者が少年時代から大切に何度も読み返してきた『ドリトル先生航海記』の翻訳を、著者はみずから手がけることになる。

翻訳することとは、「最初にあったもの」としての原著に、何度も立ち返ることである。同時に、原著をくり返し参照しながら、それをまた、違うものに書き換えていくことである。反復しながら差異を生み出していくこと。遺伝子を複製しながら、少しずつエラーを重ねて進化していく生き物のように、大切なものをそのままにしておこうとする丁寧な仕事の積み重ねの果てに、それまでなかった新しい何かが生み出されていく。

「ドリトル」とは英語で「Dolittle」である。手を加えすぎないこと。自力で介入しすぎないこと。相手を所有し、統御しようとするのではなく、耳を澄ませ、声を聴くこと。生き物たちの声をなるべくそのままにしておくこと。そうすることで、誰も聞いたことのない物語を紡ぎ出していくこと。ナチュラリストとは、自然の「翻訳者」であると言えるかもしれない。

翻訳（translation）とは、何かを別のどこか（trans）に運ぶ（latus）ことである。忘れられた出来事を、新しい文脈のなかへ運び出すこと——「想い出す」こともまた、一つの「翻訳」と言えるかもしれない。

ドリトル先生との思い出を語り始めた老スタビンズは、年老いてかつての記憶が定かではない。よく思い出せないときはオウムのポリネシアに尋ねる。ポリネシアは二百五十歳だが、あらゆることを正確に記憶していて、かつてあった出来事を現在にまで運んできてくれる。「この本は私ではなくポリネシアが書いたと言ったほうが正しいのではないか」と『航海記』の冒頭で自問するスタビンズだが、この物語は「スタビンズがポリネシアとともに翻訳した」と言う方が正確かもしれない。

生命の網もまた、壮大な翻訳のネットワークである。生き物は互いを食べ、分解し、生み、交配しながら、互いの生命をダイナミックに別のどこかへ運び続ける。イモムシは蝶に変態し、リスがタカに食われる。だが、生命そのものが滅びることはない。同じ生命が、めまぐるしくその宿る場所を変えながら、多様なスケールでそれぞれの時間を刻み続けていくのだ。

この世界に存在するすべての物事は、乱雑さ（エントロピー）が増大する方向へ動き続ける。秩序あるものは、無秩序へと向かう。宇宙を統べる「エントロピー増大の法則」である。あらゆる形あるものが、形が崩れる方向へと移ろっていくのだ。

だが生命は、増大し続けるエントロピーの奔流に抗うように、呼吸し、成長し、思考し、想起し、世界について何かを物語っていく。生きることも、想い出すことも、物語ることもすべては、ベルグソンが言う「物質が下る坂」（二三七頁）を登り返していくことである。

この生命をして「登り返す力」は、「自らを壊すところから生じている」（二三九頁）と福岡は語る。「細胞にとって、造ること以上に壊すことが重要だ」というのは、近年の生物学が明らかにした意外な事実だった。


細胞はその内部で、タンパク質を絶え間なく分解しています。酸化や変性によって使えなくなったタンパク質を分解除去するだけでなく、新品同様、できたてほやほやのタンパク質でも情け容赦なく次々と分解しているのです。

なぜ生命はこれほどまで壊すことに固執しているのでしょうか。それは、壊し続けることが生き続けるために必要だからです。（二三八頁）

生命は、「エントロピー増大の法則が襲いかかってくる前に、先回りして自らを分解し、そして合成している」（二三九頁）。生命体は、みずから進んで秩序を壊していく。そうすることで、この上に新たな秩序を作り直していく。

柔軟で優しく、公平で寛大だったドリトル先生は、個体としての生の有限性に抗うことはできなかった。だがまさにその偉大な先生の不在が、スタビンズ君をして、新たな物語を語らせたのだ。先回りするようにして分解され、崩れていった先生が残したものは、世界中の少年の心を躍らせる、誰も知らない物語であった。

本書の最後で、著者はみずからの「分解」を始める。「そろそろ私は分子生物学者をやめるときかもしれない」と語る（二五九頁）。

自分が自分であるという思い込み(アイデンティティ)を打ち砕く強烈な力。それこそが未来だとすれば、生と死をくり返しながら、それでも常に未来が到来し続けてきたのが、生命の歴史であった。

過去へと遡及(そきゅう)していく想起の旅が、最後には未来そのものを開いて終わる。時間と翻訳の賜物――「生命とは何か」という問いに対する、魂の込もった応答である。

（二〇二一年八月、独立研究者）

この作品は二〇一八年十一月新潮社より刊行された。

新潮文庫最新刊

結城真一郎著
名もなき星の哀歌
新潮ミステリー大賞受賞

記憶を取引する店で働く青年二人が、謎の歌姫と出会った。謎が謎をよぶ予測不能の展開の果てに美しくも残酷な真相が浮かび上がる。

堀川アサコ著
伯爵と成金
―帝都マユズミ探偵研究所―

伯爵家の次男かつ探偵の黛望（まゆずみのぞみ）と、成金のどら息子かつ助手の牧野心太郎が、昭和初期の耽美と退廃が匂い立つ妖しき四つの謎に挑む。

福岡伸一著
ナチュラリスト
―生命を愛（め）でる人―

常に変化を続け、一見無秩序に見える自然。その本質を丹念に探究し、先達たちを訪ね歩き、根源へとやさしく導く生物学講義録！

梨木香歩著
鳥と雲と薬草袋／風と双眼鏡、膝掛け毛布

土地の名まえにはいつも物語がある。地形や植物、文化や歴史、暮らす人々の息遣い……。旅した地名が喚起する思いをつづる名随筆集。

企画・デザイン 大貫卓也
マイブック
―2022年の記録―

これは日付と曜日が入っているだけの真っ白い本。著者は「あなた」。2022年の出来事を綴り、オリジナルの一冊を作りませんか？

窪美澄著
トリニティ
織田作之助賞受賞

ライターの登紀子、イラストレーターの妙子、専業主婦の鈴子。三者三様の女たちの愛と苦悩、そして受けつがれる希望を描く長編小説。

ナチュラリスト

生命を愛でる人

新潮文庫　ふ－49－2

令和三年十月一日発行

著者　福岡伸一

発行者　佐藤隆信

発行所　株式会社新潮社

郵便番号　一六二―八七一一
東京都新宿区矢来町七一
電話　編集部(〇三)三二六六―五四四〇
　　　読者係(〇三)三二六六―五一一一
https://www.shinchosha.co.jp

価格はカバーに表示してあります。

乱丁・落丁本は、ご面倒ですが小社読者係宛ご送付ください。送料小社負担にてお取替えいたします。

印刷・大日本印刷株式会社　製本・株式会社植木製本所

ISBN978-4-10-126232-1 C0195